COURT AU THÉÂTRE 1

8 PETITES PIÈCES POUR ENFANTS

COURT
AU THÉÂTRE 1

8 PETITES PIÈCES POUR ENFANTS

éditions THEATRALES **II** JEUNESSE

THEATRALES **‖** JEUNESSE

Des langages, des histoires, des délires,
cent façons de raconter le monde.
Des textes à lire, à dire, à écouter, à jouer.

UNE COLLECTION DIRIGÉE PAR FRANÇOISE DU CHAXEL

La représentation des pièces de théâtre est soumise à l'autori-
sation de l'auteur ou de ses ayants droit. Avant le début des
répétitions, une demande d'autorisation devra être déposée
auprès de la SACD.

Image de couverture : Mathias Delfau

© 2005, Éditions Théâtrales
20, rue Voltaire, 93100 Montreuil-sous-Bois

ISBN : 2-84260-174-2

COURT AU THÉÂTRE 1
8 PETITES PIÈCES POUR ENFANTS

EN ROUTE POUR L'IMAGINAIRE

C'est bien connu, il est plus difficile de faire court que de faire long comme il est plus difficile de faire simple que de faire compliqué. Ce n'est pas Beckett, qui dans sa trajectoire d'écrivain ne fit que tendre vers le silence, qui nous contredira. Au théâtre, écrire une pièce courte est pour un auteur un exercice particulièrement passionnant, puisqu'il s'agit, en quelques pages, de résoudre ou non une situation, de faire pénétrer dans un univers, de faire entendre une langue, de provoquer l'imaginaire.

Les textes présentés dans ce volume sont tous inédits, qu'ils soient d'auteurs familiers du jeune public comme Dominique Paquet ou Lise Martin ou de tout nouveaux venus comme Juan Cocho. Ce dernier nous livre les aventures cocasses de Dominio l'imposteur ; Daniel Keene rassemble autour d'un ballon de foot les petites douleurs de l'enfance ; Sylvain Levey nous délivre quelques instantanés de vie à sa façon ; Philippe Lipchitz et Dominique Chanfrau redonnent sa dignité au loup ; Lise Martin nous dit subtilement le rapport à la différence ; Dominique Paquet rêve autour de l'absence du père ; Dominique Richard nous fait retrouver le Rémi du *Journal de Grosse Patate* ; quant à Roland Shön et son théâtre-récit, ils nous emmènent loin, au pays de Dibouji.

Voyages intimes, voyages dans l'inconnu, voyages dans les mots, voyages dans l'imaginaire, à chacun de se laisser embarquer et d'entraîner tous ceux qui l'entourent.

Ce théâtre est aussi riche, souvent plus inventif, que le théâtre pour les grands. Il passe du dialogue au monologue, du récit à l'action, du chœur à la fable, il se fragmente et se recompose, demande au lecteur, à l'acteur, de jouer un rôle actif. Il fait appel à notre imaginaire. Il est tour à tour drôle, tendre, cruel, loufoque, sensible, brutal, réaliste, fantastique, il prend toutes les couleurs de la vie et du rêve. Les huit textes que vous allez découvrir parcourent toute cette gamme. Ils proposent aux enfants un riche matériau à lire, à dire, à écouter, à jouer et constituent une véritable initiation à la littérature.

Françoise du Chaxel et Jean-Pierre Engelbach

Juan Cocho

PERSONNAGE :

DOMINIO

Voici une pièce dont la forme est restée libre, qui peut se rêver seule ou à plusieurs, pour objets ou marionnettes, en chansons, avec masques ou vidéoprojections. Libre à chacun d'inventer selon ses besoins et son goût pour le débordement.

Comme chacun sait Dominio est un imposteur.
Il se lève un matin
Avec l'envie de se marier
Il pond un œuf
Avale avec son café trois brasses de foin qu'il
ne prend pas le temps de mâcher
Se souvient que sa mère lui disait tout le temps
de prendre son temps
Mais Dominio n'est capable d'avoir qu'une idée
en tête
Ce qui fait de lui un garçon pressé
Si pressé, qu'il s'est levé ce matin-là
Avec l'envie de se marier
Alors qu'il n'était pas encore né.
Cela étant dit
Chacun sait désormais
Que Dominio est un imposteur.

***

Dominio n'est jamais là quand il faut.
On ne peut donc pas vraiment compter sur lui.
Lorsque après douze mois dans le ventre de sa
mère

On se décide enfin à provoquer sa naissance
Le médecin qui fait l'intervention est bien
surpris
Après cinq minutes d'opération
De ne trouver personne dans le gros ventre de
celle-ci.
En fait, Dominio est un farceur
Et sans prévenir personne
Il arrive le lendemain
À la gare
Par le train.

***

Depuis qu'il est né
Dominio
Comme on l'a vu
Souffre d'«absencia chronica».
Une maladie bénigne
Qui l'oblige à s'absenter régulièrement.
Quand on discute avec lui
On peut se retrouver en train de lui parler
Sans qu'il écoute.
Ce qui est bien égal, de toute manière
Puisque Dominio est né sourd
Il n'entend rien à ce que les gens lui racontent.
On peut même se retrouver en train de lui parler
Sans qu'il soit là du tout.
Et peu importe alors

Qu'il écoute ou n'écoute pas
Il faut juste savoir
Pour qui veut lui parler
Que puisqu'il n'entend rien
Qu'il soit là ou pas
Il fera toujours semblant de comprendre.
Rappelons-le
Il ne faut pas se fier à Dominio
C'est un imposteur.

***

Dominio a une croissance tout à fait normale.
Des vingt-cinq grammes qu'il faisait à la
naissance
Il est passé en a peine une semaine, pressé
comme il est
À l'âge de deux ans
Et à son poids adulte de cinq cents kilos.
Ce qui n'est pas sans poser de problème à la
crèche
Lorsqu'il joue avec d'autres enfants de son âge
Qu'assez régulièrement, sans le vouloir,
il écrase.
Peu à peu plus personne ne veut s'approcher
de lui
Et Dominio n'a plus d'amis de son âge.
Mais le connaissant, cela n'est pas un problème.
On peut juste se demander

Sachant que c'est un imposteur
S'il a jamais réellement eu d'amis de son âge.
Pressé comme il est, il est devenu si vite adulte
Qu'alors que les autres jouent encore à la balle
Lui doit déjà se raser
Et demande la permission pour sortir avec les
filles.

***

Dominio passe son temps à pisser partout.
Où qu'il aille, il retrouve ainsi son chemin.
C'est le moyen qu'il a mis au point pour ne
jamais se perdre.
Sachant que cela est inconvenant
Il déambule à quatre pattes dans les coins
En faisant mine de chercher quelque chose
Mais, bien entendu, Dominio est un imposteur
Et il ne cherche rien
Il attend juste que les gens qui sont là partent
Pour faire son pissou.
La difficulté pour lui, qui est si pressé,
Est qu'il n'a jamais le temps de vraiment finir
Et que tout en marchant, il doit s'y reprendre à
plusieurs fois
En plusieurs endroits.
C'est pourquoi Dominio pisse tout le temps
Si pressé qu'il est, si pressé
À peine fini
Il a de nouveau envie.

***

On n'arrête pas de lui dire qu'il doit gagner sa
vie
Dominio se demande alors s'il ne devrait pas
Se décider à travailler.
Mais à la seule idée
De ne pas être, dans sa vie, le gagnant assuré
Il préfère n'en rien faire et ne pas montrer une
fois encore qu'il est mauvais perdant.
La chose est décidée
Dominio ne décidera rien.
Puis il se ravise, et décide
De ne rien décider.
Puis il se ravise
Et ne décide pas de décider quelque chose.

***

Attention, dit Dominio, quelque chose va
apparaître.
Il attend qu'on lui donne notre attention
Et il sort alors
Son énorme queue.
Une queue d'au moins deux mètres de long
Qui dernièrement vient de lui pousser dans le
dos.
Les gens sont effrayés par une telle monstruosité
Et se mettent à crier.

Dominio alors, pour assurer le spectacle,
La fait tournoyer au-dessus de lui
Et fauche au passage plusieurs curieux qui
s'étaient arrêtés
Pour regarder ses fantaisies.
Lorsque la panique est à son comble
Que tout le monde s'est enfui
Dominio se retrouve encore une fois seul
Sans personne à qui avouer qu'en fait
C'était une blague qu'il faisait.
Dominio enlève alors sa queue d'imposteur en
carton
Et comme il se trouve qu'il a faim
Il la mange.

***

Dominio aime ne rien faire.
Mais voilà que depuis un certain temps
Il s'ennuie.
Ce qui est fort gênant
Pour quelqu'un qui aime ne rien faire
Car dès qu'il se met à ne rien faire
Il s'ennuie.
Et cela lui prend tout son temps.
Voilà Dominio empêché de ne rien faire
Par cet ennui qui s'est installé en lui
Et qui l'empêche de rester
Paisiblement assis à ne rien faire.

***

Dominio montre un mur et affirme que ce mur
n'existe pas.
Ce mur n'est là, dit-il, que parce qu'on y croit
Mais il suffirait de croire qu'il n'y est pas
Pour qu'il ne soit pas là.
Et pour prouver ses dires
Dominio se jette la tête contre le mur.
Voilà, dit Dominio
Qui vient de prouver ses dires assez clairement,
Ce mur n'existe pas
Car personne ne se jetterait contre ce mur, s'il
était là.
Cela étant dit
Il se prend la tête à deux mains, et s'en va
étourdi
Car il semblerait qu'il se soit fendu le crâne.
Oui, c'est ce qu'on croit dit Dominio
Mais ce n'est pas la vérité.`
En effet, il ne s'est pas fendu le crâne.
La vérité est que Dominio
Est une forte tête.

***

Dominio regarde les mains des autres
Et se demande pourquoi les siennes sont palmées.
À l'âge de vingt-huit ans

Il se rend compte qu'il n'a jamais essayé de
nager.
Il s'y met donc sur-le-champ
Dans une piscine, où il ne réalise qu'une fois
dans l'eau
Pressé comme il est
Qu'il a oublié de se déshabiller.
Il essaie vainement de rester à la surface
Mais le poids de ses habits le tire définitivement
vers le fond
D'où il ne peut plus remonter.
Dominio va mourir.
C'est dommage pour un garçon si jeune.
Mais comme Dominio est un imposteur
On se rend compte qu'il arrive très bien à
respirer sous l'eau
Et qu'il n'a nul besoin de savoir nager
Qu'il lui suffit de marcher
Chose que Dominio lui-même ne savait pas
jusqu'à ce jour
Puisqu'il n'avait jamais essayé
Ce qui révèle que cette fois
Ce n'est pas une imposture de sa part.

***

Comme il fallait s'y attendre
Le jour de son mariage
Dominio n'est pas là.

On l'a vu à la mairie, où on l'a entendu dire oui
Mais ensuite, il a disparu.
Tout le monde le cherche et quelqu'un trouve finalement
Un message où il explique qu'on l'a appelé
De toute urgence
Pour une affaire d'importance.
On est un peu déçu
Mais le mariage de Dominio est très réussi sans lui.
Une fois les invités partis, sa femme se met en colère.
Elle sait que Dominio est sourd
Et qu'on n'a pas pu l'appeler.
Ou alors, il a fait croire à tout le monde qu'il était sourd
Alors qu'il ne l'est pas.
(Voilà ce qui est avec les imposteurs, on ne sait jamais à quoi s'en tenir.)
La vérité est que Dominio était invité ce jour-là au mariage d'un ami
Et ne sachant pas dire non
Il s'est senti obligé d'y aller.
Il s'y est d'ailleurs beaucoup amusé.
Mais gageons que lorsqu'il rentrera, pour avoir été absent à son propre mariage, il va en entendre de toutes les couleurs.
Ou pas.
Car il se peut qu'il soit vraiment sourd.

***

Les comportements étranges de Dominio ne
cesssent d'intéresser la science
Et il a déjà fait l'objet de plusieurs études.
Mais Dominio ne se laisse pas facilement
observer
Car, comme on l'a vu, il est rarement là où on
l'attend.
Ces conditions difficiles d'observation
Expliquent le peu d'informations que l'on ait sur
lui
Et toute la valeur de celles qui sont consignées
ici.
En même temps, il faut avouer
Que tout ce que l'on peut dire de lui
Est généralement faux
Car, sitôt qu'il se sent regardé
Dominio adopte un comportement
Très différent du sien.
Nous ne saurons donc jamais qui est vraiment
Dominio.

***

Une chose est sûre
Dominio n'a pas d'ennemis.
Car il est très difficile de se débarrasser de lui.
On aurait beau le couper en morceaux

Chacun de ces morceaux reprendrait alors
instantanément vie.
Chose curieuse et rare, à partir d'un seul doigt
Dominio est capable de se recomposer
entièrement.
Et plus vite qu'on ne le croit.
Dominio n'a pas d'ennemis
Car à force de ne pas leur porter d'attention
Ils ont fini par se désintéresser de lui.
Dominio, pour ses amis comme pour ses
ennemis, n'est jamais là quand on l'attend
Il n'est jamais là quand on ne l'attend pas non
plus
Il n'est jamais là en définitive
Et on finit vite par l'oublier.
On en vient même des fois à se demander
S'il existe vraiment.
Mais on est bien obligé à la longue de
constater
Qu'il existe bel et bien
Car, sinon, de qui parlerait-on ?

***

Dominio est invariablement attiré par la lumière.
Pas seulement les feux d'artifice
Mais aussi les lampadaires, les bougies, et les
phares de bateaux, de voitures et d'avions.
Il peut passer une nuit entière à attendre

Le passage d'un train
Et rester alors hypnotisé sur les rails.
Si d'aventure il se retrouve près d'un feu
Il peut arriver qu'il soit tellement attiré
Qu'il s'en approche trop, brûle, et meurt.
Peu importe.
La durée de vie de Dominio
N'a jamais excédé vingt-quatre heures
Et Dominio est un imposteur
Car depuis qu'il est né
Il est déjà mort plus de mille fois sans nous le
dire.
Ce qui ne l'empêche pas de vivre et de
continuer à s'approcher des feux.
Il semblerait que Dominio n'apprendra jamais.

***

Fatigué de sa propre puanteur
Dominio entre chez des gens
Et demande s'il peut utiliser la salle de bains.
Sans attendre de réponse
Il se dirige là où il a dit
Et se fait couler un bain.
Les habitants de la maison protestent
Mais comme Dominio est sourd
Il n'entend rien.
Ensuite, ils le regardent couché au fond de
l'eau

Et attendent qu'il en sorte la tête.
Ce que Dominio ne fait pas
Puisqu'il respire sous l'eau.
Les habitants n'en croient pas leurs yeux et se
disent que
Dominio ne manque vraiment pas d'air.

***

Un jour qu'il se réveille
Dominio ne sait plus qui il est.
Peu importe, pense-t-il,
Cela arrive d'oublier certaines choses.

***

Alors que Dominio se promène tranquillement
Les mains dans les poches
Quelqu'un l'attrape par le cou
Et veut le conduire en prison.
Dominio ne comprend pas ce qui lui arrive
Et il demande des explications.
Il n'y a pas d'explications à donner
Il a été pris la main dans le sac
En train de voler deux pommes.
Dominio explique que ce ne peut pas être lui
Car il avait les deux mains dans ses poches
Et pour le prouver
Il les sort.

C'est à ce moment-là que Dominio se rend compte
Qu'il n'y a plus de mains dans ses poches
Et il est bien obligé de constater
Qu'elles sont dans les fruits comme on lui avait dit.
Dominio explique que ces mains ne peuvent pas être les siennes
Car à aucun moment il ne leur a demandé
De sortir de ses poches
Et encore moins de prendre ces pommes.
On croit qu'il monte une imposture.
Dominio s'époumone à dire que ses mains à lui sont encore dans ses poches
Mais qu'il n'arrive pas à les retrouver.
De plus, comme le policier qui l'emmène lui a mis les menottes
Il n'a pas de moyen de les chercher.
Exaspéré par cette situation invraisemblable
Dominio décide pour prouver que ces mains ne lui appartiennent pas
De les laisser là, dans les menottes
Et de s'en aller.
Sans remords.
Car ces mains ne sont pas les siennes
Et qu'il n'est pas un voleur.

***

Parce qu'il a une grosse montre
Dominio passe pour être riche.
Mais tout le monde sait qu'il est pauvre.
Lui seul croit qu'il est riche
Parce qu'il a une grosse montre.
D'ailleurs, peu lui importe d'être riche ou pas.
Ce qu'il veut, c'est avoir une grosse montre
Et passer pour un riche.
La réalité lui est bien égale.
La réalité est que Dominio se prend pour
quelqu'un d'autre que lui.
Quand il se regarde dans la glace
Il ne peut s'empêcher de se faire des mines
Des clins d'œil
Et de se saluer amicalement.
Personne n'est sûr qu'il se reconnaît.
Il se prend si facilement pour un autre
Que lorsqu'il parle avec un barbu
La barbe lui pousse
Avec un chauve
Il en perd ses cheveux
Avec un vieux, il se ride.
Dominio ne ressemble plus à rien.
Il est vieux, chauve, barbu
Et il ne sait plus parler.
Il passe ses journées à regarder le plafond.

***

Dominio se sent mourir.
La fin pour lui est proche, il sait qu'il n'en a plus
pour longtemps.
Sa femme est en pleurs.
Mais Dominio fait partie de ces gens
Qui disent qu'ils vont faire quelque chose
Et ne le font pas.
Dominio ne meurt pas.
Il n'en avait aucune intention d'ailleurs.
C'est un imposteur. On le savait.
Si bien qu'après n'être pas mort
Il décide de partir en voyage.
Depuis lors personne n'a plus jamais entendu
parler de lui.
Il est sûrement quelque part
Où il ne se ressemble pas
Et où personne ne le reconnaît
Là où personne ne l'attend
Comme toujours pressé,
Prenant une forme qui n'est pas la sienne
Et pourtant toujours fidèle à lui-même
Car c'est toujours un imposteur.
Mais on le savait.

Daniel Keene

LA RUE

Traduit de l'anglais (Australie)
par Séverine Magois

PERSONNAGES :

SONIA

CÉDRIC

SAMIR

MEDHI

INÈS

La Rue *a fait l'objet d'une commande d'écriture passée à Daniel Keene par la Compagnie de la Cité et a été créée le 5 juin 2003 au Théâtre du Merlan, scène nationale de Marseille, mise en scène : Michel André (Compagnie de la Cité), avec : Cédric Grattenoix, Medhi Haddouche, Samir Hardoub, Sonia Hardoub et Inès Vankeerberghen, dans le cadre du spectacle* Le Chemin des possibles, *premier volet d'un plus vaste projet intitulé* Où va le monde ?, *fruit du travail mené par le metteur en scène avec une vingtaine de comédiens non professionnels issus des quartiers Nord et du centre-ville de Marseille.*

la rue
Samir et Cédric donnent des coups de pied dans
un ballon de football, se faisant des passes
Sonia est assise sur le rebord du caniveau,
les observant
après une pause

SONIA.- Cédric

CÉDRIC.- Quoi ?

SONIA.- T'es toujours fâché contre moi ?

CÉDRIC.- Oui

SONIA.- Je suis pas fâchée contre toi

CÉDRIC.- Ça je sais

SONIA.- Alors pourquoi tu es fâché contre moi ?

CÉDRIC.- Tu sais pourquoi

SONIA.- J'ai oublié

CÉDRIC.- Tâche de te souvenir

SONIA.- J'ai essayé

CÉDRIC.- Ça aggrave ton cas si tu peux pas te souvenir

SONIA.- Pourquoi?

CÉDRIC.- Arrête de poser des questions

pause

SAMIR.- Le copain de ma sœur dit qu'il peut me trouver des chaussures de foot des bien gratis

CÉDRIC.- Gratis?

SAMIR.- Elles sont pas neuves

CÉDRIC.- Ah

SAMIR.- Mais elles n'ont pas beaucoup servi

CÉDRIC.- Où est-ce qu'il peut les trouver?

SAMIR.- Au club du quartier

CÉDRIC.- Comment ça se fait?

SAMIR.- Il est agent de service au stade il peut aller dans les vestiaires les joueurs passent leur temps à s'acheter de nouvelles chaussures ils balancent les vieilles

CÉDRIC.- Peut-être qu'elles ne t'iront pas

SAMIR.- Il a fait un dessin de mon pied j'ai posé mon pied sur un bout de papier et il a tracé un trait tout autour il n'a plus qu'à trouver une chaussure de la même taille

CÉDRIC.- Cool

pause

SONIA.- Tu ne peux pas rester fâché tout le temps

CÉDRIC.- Si je peux

SONIA.- Je parie que non

CÉDRIC.- Je peux

SONIA.- Pas pour toujours

CÉDRIC.- Je parie que je peux

SONIA.- Pourquoi ?

CÉDRIC.- Pourquoi pas ?

SONIA.- C'est idiot

CÉDRIC.- Non c'est pas idiot

pause

SONIA.- Là c'est moi qui vais me fâcher contre toi

CÉDRIC.- Pourquoi?

Medhi arrive et se met de la partie, donnant lui aussi des coups de pied dans le ballon

MEDHI.- Maman dit qu'il faut que tu rentres à la maison

SAMIR.- Je vais rentrer

MEDHI.- Tout de suite

SAMIR.- Et toi?

MEDHI.- Moi aussi

ils continuent à faire des passes avec le ballon

SONIA.- Cédric

CÉDRIC.- Quoi?

SONIA.- Et si je disais que je m'excuse?

CÉDRIC.- Mais tu ne sais pas pour quoi

SONIA.- C'est pas grave

CÉDRIC.- Si c'est grave

MEDHI.- De quoi ils parlent ?

SAMIR.- Va savoir

SONIA.- Pourquoi ?

CÉDRIC.- C'est grave c'est tout

*Inès apparaît et se tient un peu à l'écart
elle observe les autres
après une pause*

CÉDRIC.- Je la connais

MEDHI.- Elle est pas du coin

CÉDRIC.- Je l'ai vue à la piscine

SAMIR.- Peut-être qu'elle vit à côté de la piscine

CÉDRIC.- Je vais à la piscine mais je ne vis pas à côté

SAMIR.- Elle pourrait

MEDHI.- Qu'est-ce que ça peut faire ?

SAMIR.- Elle a l'air perdue

MEDHI.- Mais non

CÉDRIC.- D'habitude elle est avec sa grand-mère

MEDHI.- On ferait bien de pas tarder à y aller

SAMIR.- Dans une minute

*alors que les garçons continuent à jouer Sonia
s'approche d'Inès
elle sourit à Inès et s'assied auprès d'elle*

SONIA.- Bonjour

Inès ne bronche pas

CÉDRIC.- Peut-être qu'elle est perdue

MEDHI.- Alors pourquoi t'appelles pas un policier ?

SONIA.- Cédric !

CÉDRIC.- Quoi ?

SONIA.- Ça y est je me souviens !

CÉDRIC.- Tant mieux pour toi

MEDHI.- Elle se souvient de quoi ?

CÉDRIC.- Rien d'important

SONIA.- C'est parce que j'ai dit à ta sœur que
t'étais amoureux d'Ingrid

CÉDRIC.- Je suis pas amoureux d'elle

SAMIR.- Quoi ?

SONIA.- Tu m'as dit que si

CÉDRIC.- Tais-toi !

MEDHI.- C'est drôle

Cédric ramasse le ballon de football

CÉDRIC.- Il faut que je rentre

SAMIR.- Mais non

CÉDRIC.- Toi aussi

MEDHI.- Oui nous aussi

SAMIR.- Je veux en savoir plus sur Ingrid

SONIA.- C'est personnel

SAMIR.- Il t'a bien raconté

SONIA.- Mais j'étais censée le raconter à personne d'autre

CÉDRIC.- Je t'ai rien raconté

SONIA.- Menteur !

CÉDRIC.- Menteuse toi-même !

Cédric se tourne et s'en va en vitesse

SAMIR.- Hé Cédric !

MEDHI.- Laisse-le donc on le verra demain

SAMIR.- Elle sait Ingrid ?

Sonia hausse les épaules

SONIA.- Je ne crois pas

MEDHI.- Allez viens Samir il faut qu'on y aille

SAMIR.- De quoi t'as peur ? On est toujours en retard

MEDHI.- Maman a dit que t'auras pas de nouvelles chaussures de foot si tu te mets pas à rentrer à la maison quand elle le dit

SAMIR.- C'est pas à elle de décider

MEDHI.- Elle dit que tu es le grand souci de sa vie

SAMIR.- Non je le suis pas c'est toi qui l'es elle me l'a dit

MEDHI.- Peut-être qu'on l'est tous les deux

SAMIR.- Sans doute

Samir s'approche d'Inès

SONIA.- Je crois pas qu'elle sait parler

SAMIR.- Tout le monde sait parler

SONIA.- Non pas tout le monde

Samir vient un peu plus près d'Inès

SAMIR.- Tu es perdue ?

Inès ne bronche pas

MEDHI.- Peut-être qu'elle a perdu sa langue

SAMIR.- Tu sais comment rentrer chez toi ?

Inès ne bronche pas

MEDHI.- Si elle est perdue alors quelqu'un la cherchera allez viens Samir on y va

SAMIR.- O.K. O.K.

MEDHI.- À plus Sonia

SONIA.- À plus

*les deux garçons s'en vont
après une pause*

SONIA.- J'étais perdue une fois au supermarché mais quelqu'un m'a trouvée

les deux petites filles demeurent ensemble en silence

Sylvain Levey

INSTANTANÉS

QUELQUES AUTRES PAGES
DU JOURNAL DE LA MIDDLE CLASS
OCCIDENTALE

Il y a le petit qui veut jouer avec les plus grands, le grand qui ferait mieux d'arrêter d'embêter les petits, il y a les prisonniers de la balle et les habitués de la balle aux prisonniers, il y a celui qui court partout et ne va nulle part, celui qui ne veut pas rentrer et celui qui rentrera trop tard, il y a celui qui s'est fait mal et qui cherche sa mère, celui qui hurle et qui voudrait avoir un père, il y a celui qui a déjà quatre fiancées, il y a celui qui fait peur aux filles, il y a celui qui observe, il y a celui qui joue tout seul, il y a celui qui fait tomber son gâteau dans le sable, le ramasse et le mange, il y a celui qui partage et ceux qui profitent du partage sans jamais partager, il y a le kamikaze qui grimpe aux arbres et puis celui qui reste en bas, il y a des Blancs, des Noirs, des Jaunes, des grands, des gros, il y a le fils du docteur, des petits, des costauds, des footballeurs, des basketteurs, des à lunettes, des avec des baskets, des avec des bleus, sur les genoux et dans les yeux, il y a des rires, des cris, des larmes, il y a ceux qui sont de bonne humeur et leur contraire, les bagarreurs et dans ce square, assis sur un banc, il y a moi, Julien, onze ans et demi, qui ne regarde que les garçons.

———

Samedi après-midi, ma mère m'a acheté des nouvelles baskets. Des rouges avec des bandes. Trois bandes blanches. Le vendeur a dit que c'était les chaussures de l'équipe championne du monde de relais quatre fois cent mètres. J'aurais préféré les baskets officielles des joueurs de l'Olympique de Marseille mais ma mère les trouvait trop chères. Je suis content quand même. Content car depuis samedi, j'ai des chaussures qui courent vite. Très vite. Plus vite je suis sûr que les baskets de Benjamin. Les baskets de Benjamin n'ont même pas de bandes sur le côté, elles sont usées et ont perdu de la vitesse. Lundi matin, dans la cour de mon école, j'étais très fier. Je courais. Partout et très vite. Je doublais tout le monde. Je passais devant les institutrices en leur criant : « Regardez mes chaussures qui courent vite, regardez ! Je suis une moto, un avion supersonique, une fusée ! Regardez mes baskets de champion du monde. » Je traversais la cour en long, en large, en diagonale et en travers. Benjamin avait l'air ridicule avec ses chaussures d'escargot à la retraite. Je ne le détestais plus. Je l'ignorais. J'avais pitié de sa faiblesse. Je passais quand même de temps en temps devant sa personne, le plus vite possible en lui criant : « Regarde, Benjamin ! Regarde comme je cours vite ! Je suis champion du monde ! Je suis une moto ! un avion supersonique, une fusée. » Les filles me regardaient. Les filles m'admiraient. Les filles allaient rêver de moi toutes les nuits, les filles allaient se battre, se tirer les cheveux pour toucher mes mollets, pour s'asseoir à côté de moi à la cantine. Toutes les filles étaient folles amoureuses de moi. Toutes sauf deux. Deux filles qui continuaient à jouer à l'élastique. Je courais trop vite, je n'ai pas vu leur élastique et je n'allais pas tarder à réellement faire la fusée, l'avion supersonique.

Ma tortue s'ennuyait ferme dans son aquarium. Il était urgent qu'elle prenne le frais, qu'elle se change les idées. Je voulais qu'elle voie, au moins une fois dans sa vie, la mer, coquillages et crustacés. Je n'ai rien dit à mes parents, j'ai mis Prescillia, Prescillia c'est le nom de ma tortue, dans un bocal à confiture avec un peu d'eau, caché le bocal au fond de ma valise et adieu les soucis et vive les vacances, le soleil, les copines, les châteaux de sable et le farniente. J'ai pris le train pour rejoindre bon-papa et bonne-maman. J'avais la trouille. Le contrôleur allait-il remarquer ma clandestine et la renvoyer dans sa région d'origine ? Combien de temps allait-elle rester dans un aquarium de transit ? Allait-il me faire payer sa place ? J'avais très peu d'argent sur moi. Il allait me la confisquer, j'allais être montrée du doigt, je serais poursuivie, pourchassée et piétinée par tout un wagon de voyageurs, j'allais être condamnée à la perpétuité et toi, jolie tortue, ma petite Prescillia, tu ne verrais jamais la mer. Le contrôleur est passé, j'ai tendu mon billet. Il n'a rien vu, rien senti, m'a juste demandé si tout allait bien, si quelqu'un m'attendait à la gare et si j'allais passer mes vacances sur l'île d'Oléron. J'ai répondu oui, oui et oui aux trois questions et il est parti. J'ai somnolé. Le repos du guerrier, un repos bien mérité. Arrivée chez mes grands-parents, j'ai caché ma rescapée dans l'armoire, derrière une pile de vêtements : « Passe une bonne nuit ma belle, sois patiente Prescillia, demain, tu vas découvrir les joies de la mer, la beauté de l'océan. »

Dans la nuit, un bateau, au large, a coulé déversant son pétrole sur les dunes, les châteaux de sable et les rochers.

C'est une journée particulière, ce soir je souffle mes dix bougies. Table de fête pour le repas : un homme, un vrai, le chef, le papa Piette ; une table, dessus la table, une nappe, dessus la nappe, des fleurs ; une femme, très jolie, la belle-maman Muchet ; trois beaux enfants aussi, le fils Muchet, la grande Piette et puis moi la petite ; neuf chaises ; deux autres enfants, le cousin et la cousine, beaucoup moins beaux, beaucoup moins intelligents, c'est papa Piette qui le dit ; trente-six assiettes exactement, neuf grandes assiettes pour manger l'entrée (deux œufs mimosa macédoine de légumes mayonnaise), neuf autres pour le plat principal de résistance (du poulet rôti haricots verts pommes de terre frites), neuf petites pour le fromage et la salade, neuf autres pour manger le gâteau, le fameux gâteau d'anniversaire ; une deuxième femme, la tata, son mari depuis plus de vingt ans ; le tonton, un bon coup de fourchette le tonton, ah ! oui ; dix-huit fourchettes, dix-huit cuillères, dix-huit couteaux ; le lave-vaisselle est en panne, depuis hier ; vingt-sept verres, dedans les verres, des serviettes en forme de papillon. Repas de fête autour de la table, un apéritif, deux apéritifs, deux bouteilles de vin blanc, trois bouteilles de vin rouge, du champagne et du Coca-Cola pour les enfants, un digestif et un deuxième pour la route, c'est la tata qui dit ça, c'est une journée particulière, c'est mon anniversaire, le dixième, la copie conforme du neuvième, coup de sonnette, ah! les voilà, coup de sonnette deux fois, tonton est un blagueur.

Philippe Lipchitz
et Dominique Chanfrau

LA FIN DU LOUP

PERSONNAGES :

LE LOUP

LE TECHNICIEN

DES VOIX

L'ENFANT

La Fin du loup *a été créée par le Sub'théâtre le 29 août 1995 au Festival du parc Pasteur à Orléans, avec Dominique Chanfrau, dans une mise en scène de Philippe Lipchitz.*

Dans la forêt

Dans le noir, on entend des bruits, des cris, des coups de sifflet, des aboiements de chiens. Malgré ce brouhaha, on finit par entendre distinctement : «Au loup! Au loup! À mort le loup!» Les bruits s'enflent jusqu'à devenir très forts. Se mélange à ce fond sonore quelque chose que l'on assimile très vite à un halètement : la course de quelqu'un qui fuit. Puis, d'un coup, plus rien. Peu à peu, la lumière se fait. Elle provient de deux téléviseurs qui éclairent la scène de leur œil bleu. Sur les écrans, une forêt, une promenade en forêt : un chemin creux, la voûte des arbres. Tout cela se passe dans un silence d'autant plus impressionnant que juste avant, les clameurs étaient très fortes. Une femme vêtue d'un imperméable, coiffée d'un chapeau, apparaît.

LE LOUP.- Chut
S'il vous plaît
Chut
Pas de mots
Pas deux mots

Pas un mot
Pas un bruit
Ne parlez pas
Ne bougez pas
Je ne veux pas entendre quelqu'un éternuer
À vos souhaits
Voilà c'est dit

La lumière devient plus chaude. Les téléviseurs s'éteignent. On entend des oiseaux.

Vous permettez que je me pose un instant ?

Le loup s'allonge dans la neige et profite des rayons du soleil pour se délasser un peu de sa nuit mouvementée.

C'est que j'ai couru toute la nuit moi
Vous avez entendu
Cette battue
Ce raffut
Tout ce tohu-bohu ?

Éternuements. Le loup se redresse aussitôt, aux abois. Sévèrement aux spectateurs.

Chut
Je vous ai pourtant demandé de vous taire

Après avoir vainement cherché un éventuel coupable.

C'est moi qui viens d'éternuer ?
Excusez-moi

J'ai pris froid les pieds dans l'eau
Caché au fond du talus
Au milieu du cresson et des nénuphars
Des crapauds et des têtards
Et aussi des bidons d'huile

*Le loup se rapproche des spectateurs et leur
parle à l'oreille sur le ton de la confidence.*

C'est après moi qu'ils en ont
Alors c'est promis
Personne ne m'a vu
Pas vu pas pris
Je ne suis pas passé par ici
Je ne repasserai pas par là

*D'abord au loin, puis de plus en plus proches,
des rugissements de moteur. Petite danse pour
loup et bulldozers.*

Et voilà que ça recommence
La nuit les chasseurs
Le jour les chauffeurs
Chassé toute la nuit
Et chassé tout le jour

*On entend le hurlement des scies et des
moteurs. Le loup est obligé de crier pour se faire
entendre.*

Ça va j'ai compris
Puisque c'est comme ça

Je préfère m'en aller
Vous entendez?
Vous avez gagné
Juste le temps de faire ma valise

Le technicien lui jette une valise.

LE TECHNICIEN.- Tiens! la voilà ta valise.

Le loup va la chercher.

LE LOUP.- Eh bien merci
Je vous abandonne la forêt de mes ancêtres
La forêt où j'ai toujours vécu
Et mes parents avant moi
Et leurs parents avant eux
Et les parents de mes parents de mes parents
Et cela se perd dans la nuit des temps d'avant

Alors le silence revient. Le loup sort de sa poche une poignée de petits cailloux qu'il pose en tas sur le sol.

Je ne pouvais pas partir sans faire mes adieux à mon mari
Pour ceux qui ne l'auraient pas remarqué
Je ne suis pas un loup
Puisque je suis une louve
Le loup est mon époux
Savez-vous ce que c'est qu'un époux?
Eh bien l'époux c'est le mari

Le loup était mon époux
Moi j'appelais mon époux loup Lou
Un petit matin quand le soleil a commencé à se
lever
Certaines feuilles de certains arbres étaient déjà
tombées
Mon époux le loup est tombé sous les balles des
chasseurs
Et j'ai beaucoup pleuré
Tu sais je m'en vais
Jamais plus je ne reviendrai
Bientôt je serai loin

*Le loup se relève, remonte le col de son imper-
méable. Sur les écrans de télévision, des
paysages autoroutiers : grande descente à
plusieurs voies, gare de péage...*

Je m'en vais
Au temps mauvais
Je mets les bouts
À pas de loup
Au revoir Lou

Sur l'autoroute

*Défilé ininterrompu de voitures. Nous sommes
donc bien au bord de la route.*

LE LOUP.– Je vais faire de l'auto-stop

Aussitôt dit, aussitôt fait ; mais très vite, le loup est saisi d'un doute, il revient aux spectateurs.

Savez-vous ce que c'est que faire de l'auto-stop ?
On reste au bord de la route et quand on entend une voiture on la regarde bien en face avec le pouce tout droit indiquant la direction dans laquelle on veut aller
Des fois la voiture s'arrête et celui qui fait de l'auto-stop peut monter dedans
C'est pratique lorsqu'on n'a pas de voiture
Et moi voyez-vous je n'ai pas de voiture

Le loup se met en position d'auto-stoppeur. Fin du film sur les téléviseurs. Bruits des voitures qui passent. Tête du loup qui se tourne, se retourne et se détourne.

La première voiture était verte
Elle est passée adieu Berthe
La deuxième était rouge
Dedans personne ne bouge
La troisième était bleue
Elle a ralenti un peu
La quatrième enfin
A bien serré le frein

On entend le crissement des pneus d'une voiture qui s'arrête.

Vous avez une très jolie voiture

VOIX.- Où allez-vous ?

Le loup fait un vague geste de la main, indiquant une vague direction.

LE LOUP.- Je vais là-bas

VOIX.- Montez, j'y vais aussi. À deux, nous nous tiendrons compagnie.

Une portière de voiture descend du ciel. Le loup s'en empare, baisse la vitre et s'installe à la fenêtre de la portière.

LE LOUP.- Je me suis confortablement installé
dans le fauteuil
Et avec le conducteur nous avons parlé
À la radio nous avons écouté des chansons
Des fois personne ne parlait
Ni lui ni moi
Et à ces moments-là je regardais par la fenêtre
de la voiture
Derrière la fenêtre les paysages défilaient
Des forêts des champs des villes
À partir d'un moment il n'y a plus eu de forêts
rien que des champs
Et puis plus de champs
La ville partout
Et nous sommes entrés dans la ville

Dans la ville brillaient des soleils de toutes les couleurs
Ils clignotaient comme des lampes sur les arbres de Noël
Des rouges
Des bleus
Des verts

Nouveau film sur les téléviseurs : une grande avenue, des trottoirs urbains, une foule...

En ville

Le loup est debout, immobile. Il regarde la foule passer. Il prend garde à ne pas se faire bousculer. Écrans noirs. Les lumières de la ville. De temps à autre des sirènes de pompiers, de police...

LE LOUP.- Il y a beaucoup de monde
Des bébés des enfants
Et puis aussi des grands
J'ai marché dans la ville
Des secondes des minutes des heures
Et puis des heures encore
Et plus le temps passait
Moins il y avait de bébés et d'enfants
Et puis à tant marcher dans les rues de la ville

Je me suis senti fatigué
J'ai eu envie de me reposer
De me coucher dans un lit bien au chaud enroulé
dans une couette
La tête enfoncée dans un bon oreiller
Je vais chercher un hôtel
Savez-vous ce que c'est qu'un hôtel ?
Un hôtel c'est un lit où l'on peut dormir lorsque
l'on est trop loin de son lit

*Apparaît une rangée de portes : quatre exacte-
ment. Elles ne dépassent pas un mètre. Le loup
fait mine de sonner à chacune. À chaque fois, il
hésite un peu plus.*

Pardon monsieur
Je suis désolé de vous déranger
Mais je suis fatigué
Toute la soirée j'ai marché
Maintenant la nuit est tombée
Et je voudrais bien me reposer
Quelques heures seulement dormir
Et puis après repartir

*Il recommence à plusieurs reprises. À chaque
nouvelle tentative, nouvelle réponse : des
borborygmes de dessins animés. Ce qui fait un
bien étrange dialogue.*

Vous n'avez plus de chambre
Je ne peux tout de même pas dormir dans la rue
Vos pareils le font bien dites-vous

Le loup s'avance vers les spectateurs et leur livre à voix basse l'objet de ses observations.

Curieux hommes que les hommes qui construisent des grandes tours de verre et de béton qui chatouillent le ciel et n'ont pas même un lit pour dormir

VOIX.- La chambre du premier est libre.

LE LOUP.- Je suis preneur
Voilà tout ce que j'ai

VOIX.- Ce n'est pas assez.

LE LOUP.- La chambre du premier est bien trop chère toute la nuit personne n'y dormira mais dans la rue les hommes s'entassent
Curieux hommes que les hommes qui construisent des grandes tours de verre et de béton qui chatouillent le ciel et n'ont pas même un lit pour dormir
J'ai beau sonner et re-sonner personne ne m'ouvre
Encore une porte close
Curieux hommes que les hommes qui construisent des grandes tours de verre et de béton qui chatouillent le ciel et n'ont pas même un lit pour dormir
Décidément je n'irai pas

C'est trop sale pour moi
Je n'arriverais pas à fermer l'œil
J'aurais bien trop peur d'être attaqué par une
souris ou une araignée

*D'un coup la lumière est coupée. Le loup tire de
sa poche une grosse boîte d'allumettes et l'une
après l'autre il les frotte. La scène est éclairée
par la flamme vacillante des allumettes.*

Et maintenant voilà que la nuit est noire à faire
peur
J'ai continué à marcher
Un hôtel pour dormir j'ai cherché
Dans le premier pas de place
Le deuxième trop cher un palace
Au troisième on ne m'a pas ouvert
Le quatrième était mangé de vers
Vers un square je me suis avancé
Trop fatigué pour continuer
Sur un banc je me suis assis
Après tout pour une nuit

Un banc de jardin public apparaît.

Il y avait déjà beaucoup de monde et j'ai dû me
faire tout petit
Sur mon banc nous étions trois
J'avais les pieds du premier sous le nez
Et le second à chaque fois qu'il se retournait me
donnait un coup dans le dos

Quand un troisième homme est venu les deux premiers n'en ont pas voulu
Ils lui ont donné des coups de pied des coups de poing des coups de tout ce qu'on voudra
En courant le troisième homme s'est sauvé et les deux autres lui ont jeté des cailloux
Curieux hommes que les hommes ils vivent ensemble pour mieux se déchirer

Des pigeons s'envolent.

Au petit matin je me suis réveillé

Il regarde autour de lui.

Mais on m'a volé ma valise

Il fouille immédiatement dans ses poches.

Mais on m'a volé mon argent

Il se met debout.

Mais on m'a volé mes chaussures
Curieux hommes que les hommes ils vivent ensemble pour mieux se dépouiller

Fête foraine : manèges, autotamponneuses, flonflons. Zizique mécanique.

Comme les hommes ont l'air de s'amuser
Moi aussi j'aimerais bien m'amuser
Comme eux
Dans la grosse voiture rouge monter et puis me promener et puis tout bousculer et puis me faire

chahuter comme une toupie à droite à gauche
jusqu'à ce que la tête me tourne
Sur le cheval blanc monter et puis le long de la
barre danser tantôt en haut tantôt en bas
Enfourcher la grosse moto de toutes les
couleurs
M'accrocher au cou de la girafe
Chercher à attraper la queue de la souris
Rester jusques au soir
Au milieu des manèges et du tintamarre
Mais surtout
Par-dessus tout
Au-dessus de tout
Et avant tout
J'aimerais manger
Savez-vous ce que c'est qu'une faim de loup ?
Eh bien moi j'ai une faim de loup
Je serais capable de manger des montagnes de
glace à la fraise des fleuves de crème au
chocolat des océans de soupe à la tomate et
tout un pays entier d'épinards
Mais c'est sans doute parce que j'aime beau-
coup les épinards
Ici ce n'est pas du tout comme dans la forêt
d'où je viens
La forêt que j'ai quittée le jour avant de dormir
Ici quand on veut manger
Il faut pouvoir payer
Mais moi je ne peux pas payer

Le loup s'approche discrètement du premier rang des spectateurs.

Ne me regardez pas comme ça
Je deviens tout rouge parce que j'ai eu une mauvaise pensée

Le loup fait signe aux spectateurs de bien vouloir se rapprocher.

J'ai pensé que pour manger
Je pourrais bien voler
Mais ce n'est pas bien de voler
Et puis je ne veux pas aller en prison si jamais la police m'attrape me rattrape m'escarpate et me ratatape
Non non voler je ne peux pas
Et pourtant j'ai toujours envie de manger
Je crois que j'ai une bonne idée
Je vais chanter une chanson
En m'accompagnant au son d'un accordéon
Peut-être qu'on me donnera de l'argent
Avec cet argent je pourrai acheter à manger

Le technicien tend un billet de dix euros au loup.

LE TECHNICIEN.- Ça te suffit dix euros ? Si tu veux plus on peut s'arranger. Mais je t'en supplie, arrête de chanter.

Le loup un peu surpris prend quand même le billet.

LE LOUP.- En voilà un qui n'est pas très gentil
Mais après tout tant pis
J'accepte son billet

Le loup dialogue avec une voix dans un vacarme assourdissant. On peut cependant entendre des bribes de conversation. Sur l'écran des téléviseurs, des frites, des poulets rôtis, des hamburgers, des salades : un hymne lyrique aux fast-foods.

VOIX.- Et pour vous, qu'est-ce que ce sera ?

LE LOUP.- Un mouton

Rires.

VOIX.- Nous n'avons pas de mouton.

LE LOUP.- Alors je peux me contenter d'une chèvre

VOIX.- Mais nous n'avons pas de chèvre non plus.

LE LOUP.- Alors un dindon un poulet un canari un poisson rouge un ver de terre et un raton laveur

VOIX.- Arrêtez de me faire perdre mon temps. Voulez-vous un hamburger ?

LE LOUP.– Un quoi ?

Rires.

VOIX.– Un hamburger !

LE LOUP.– Et ça se mange ?

VOIX.– Bien sûr !

LE LOUP.– Alors apportez-moi un hamburger
Savez-vous ce que c'est qu'un hamburger ?
Moi je ne sais pas
Je vais goûter et je vais sûrement trouver ça très
bon puisqu'il n'y a que ça à manger et que j'ai
une faim de loup

*Fin du reportage sur les habitudes alimentaires
contemporaines. Le technicien apporte un
hamburger. Le loup le prend, le regarde, un peu
dépité que ce soit si petit.*

Ce n'est pas ça qui pourra caler une faim de loup

*Il avale d'un coup. On entend les coups de feu
d'un stand de tir. De plus en plus nombreux, de
plus en plus fort. À se demander si on ne serait
pas sur un champ de tir. Le loup sursaute, prend
peur, regarde autour de lui, comme traqué, va
se cacher au milieu des enfants.*

Et voilà que ça recommence

Non décidément je ne suis pas fait pour la
compagnie des hommes
Il faut que je m'en aille encore

À la gare

LE LOUP.- Monsieur s'il vous plaît
J'aimerais me rendre à la gare
Parce que décidément je ne suis pas fait pour la
compagnie des hommes

De nouveau le loup écoute une voix.

VOIX.- Vous allez continuer tout droit jusqu'au
prochain feu. Là il y a une rue à droite. Il y a aussi
une rue à gauche. Vous continuez tout droit.
Jusqu'à la deuxième à gauche. À ce carrefour
vous prenez à droite et puis tout de suite à
gauche et encore à droite jusqu'au premier
carrefour où vous prenez à droite et là c'est à
trois cents mètres et quelques centimètres.
Bonne chance.

LE LOUP.- Vous avez compris quelque chose
vous ?
Moi je n'ai rien compris
Je vais demander à quelqu'un d'autre

DES VOIX.- Je ne suis pas d'ici.
Je suis pressé.

Combien vous me donnez ?
Vous voulez que j'aille chercher la police ?

LE LOUP.- Ils ne sont pas particulièrement aimables
Décidément je ne suis pas fait pour la compagnie des hommes

À ce moment on entend le sifflement prolongé d'une locomotive.

Vous avez entendu ?
Je crois que ça ressemble au cri d'un train
Ça venait de là
Je n'ai qu'à marcher dans cette direction
Je finirai bien par trouver
Tout seul
C'est là

Atmosphère de gare : des images ferroviaires sur les écrans. On entend des annonces au haut-parleur. Le loup déambule dans la salle des pas perdus puisque dans toutes les gares il y a une salle des pas perdus.

VOIX.- Attention, attention, le train en provenance d'ici entre en gare.
Votre attention, s'il vous plaît, la petite Caroline attend sa maman au point de rencontre.
Les voyageurs à destination de là-bas, attention au départ.

Votre attention, s'il vous plaît, les parents du petit Julien l'attendent impatiemment au point de rencontre, le papa de Julien lui jure qu'il n'aura pas de fessée s'il arrive tout de suite.

LE LOUP.- Je n'en crois pas mes yeux
Il y a des trains qui vont partout
Et moi je ne sais même pas où je veux aller
Il faut que j'aille me renseigner

Le loup s'adresse aux téléviseurs.

Monsieur s'il vous plaît
J'aimerais me rendre ailleurs
N'importe où
Parce que décidément je ne suis pas fait pour la compagnie des hommes

VOIX.- Vous ne voyez pas que vous gênez ?
Chacun son tour, s'il vous plaît !
Pour ailleurs il y a du retard.
Pour n'importe où vous vous trompez de gare.
Du balai, ouste ! Au suivant !
Vous m'empêchez de renseigner les gens.

Les écrans retournent au noir.

LE LOUP.- Il n'est vraiment pas très aimable
Décidément je ne suis pas fait pour la compagnie des hommes

La comédienne jouant le loup raconte aux spectateurs le départ du loup.

Alors le loup est monté dans un train qui atten-dait
Dans n'importe quel train
Puisque celui pour ailleurs était en retard
Et que pour n'importe où ce n'était pas la gare
Il est monté dans le train
Sans valise sans argent sans chaussures sans rien
Puisqu'il n'avait plus rien
Et alors le train est parti
Il a commencé à rouler
D'abord tout doucement et puis de plus en plus vite
Il a roulé des secondes des minutes des heures
Des heures et des heures
Des jours et des nuits
Des heures de jour et des heures de nuit
Il a traversé plein de pays plein de mers et d'océans
Et une fois le train s'est arrêté
Au bord d'une mer
Pour laisser des voyageurs descendre
Et pour laisser des voyageurs monter
Alors le loup a glissé une lettre dans une bouteille de Coca-Cola qu'il avait achetée dans le train
Et très longtemps après
Très loin après
Un enfant a trouvé cette bouteille sur une plage

Quelque part où il y a une mer que je ne connais
même pas
Et il a dit

L'ENFANT.- Tiens ! Une bouteille de Coca-Cola.

LE LOUP.- Et il l'a ramassée
Et il l'a regardée
Et il a vu la lettre dans la bouteille
Alors il a dit

L'ENFANT.- Mais il y a quelque chose dans cette
bouteille de Coca-Cola !

LE LOUP.- Et il a pris la lettre
Et il l'a lue
Et voici ce qu'il a pu lire

*On entend la voix de l'enfant. La lumière baisse
peu à peu. Très doucement.*

L'ENFANT.- *(lisant)*
J'ai voulu vous écrire un petit mot
À vous que je ne connaîtrai jamais
Parce que quand vous lirez cette lettre
Je serai déjà très loin
Après tous les pays
Après toutes les mers
Après tous les océans

Je voulais vous dire qu'il est inutile de m'attendre
Même si je sais bien que personne jamais ne m'attendra
Je voulais vous dire que jamais je ne reviendrai
Et je ne vous dirai même pas où je suis parti
Et il est inutile de partir à ma recherche
Parce que décidément je ne suis pas fait pour la compagnie des hommes

À présent, il fait tout noir sur la scène et apparaissent des images de loups en captivité.

FIN

Lise Martin

AU-DELÀ DU CIEL

PETITE FABLE

PERSONNAGES :

ANIX

DOX

Anix et Dox dans la rue.

ANIX.- Et le ciel alors ?
Tu le vois le ciel ?

DOX.- Oui.

ANIX.- Il est bleu.

DOX.- Derrière.

ANIX.- Derrière ?

DOX.- Derrière le blanc.

ANIX.- Je ne vois que du bleu.

DOX.- Moi d'abord le blanc et un peu de bleu.

Anix se déplace.

ANIX.- Et si tu te mets là.
Tu vois le bleu.

Dox se déplace.

Alors ?

DOX.- D'ici oui, je vois le bleu, mais je dois me remonter.

ANIX.- C'est nul pour toi.

DOX.- Non.
Je vois d'abord les nuages blancs.
Je peux apercevoir le bleu en me hissant sur ma grande jambe.

Un temps.
Dox s'éloigne.
Anix le rejoint en courant.

ANIX.- Et courir, tu ne peux pas.

DOX.- On n'est pas obligé de courir.

ANIX.- Des fois si.

DOX.- Pourquoi ?

ANIX.- Pour être premier.

DOX.- Tu peux arriver le premier sans courir.

ANIX.- Pas en sport.

DOX.- Je suis dispensé.

Un temps.

ANIX.- Dans la vie de tous les jours c'est quand même gênant.

DOX.- Dans la vie, je suis comme les autres.

ANIX.- Tu ne vois pas les mêmes choses que moi. *(un temps)* Moi je suis normal.

DOX.- Normal.
Pour moi c'est normal de boiter. J'ai appris à marcher en claudiquant. *(silence)*
C'est un tout petit peu différent.

ANIX.- C'est bien ce que je dis.

DOX.- Et alors ?
Tu penses que c'est anormal de voir les nuages en premier et le bleu du ciel après ?
Toi aussi tu peux voir comme moi.

ANIX.- Quand je plie les jambes oui.

DOX.- Si je change de place, je peux ne voir que le bleu du ciel en me hissant sur grande jambe.

ANIX.- Ça t'oblige à te déplacer.

DOX.- Je vois deux mondes : le monde jambe courte et le monde jambe longue.

ANIX.– Je peux moi aussi en me baissant et en me hissant sur la pointe des pieds.
C'est compliqué.

DOX.– Moi il suffit que je choisisse la position. Je monte. Je descends. Je monte. Je descends.
C'est un avantage.

ANIX.– Un avantage ?

DOX.– Oui.
Je vois deux mondes en me balançant d'un côté sur l'autre. Je vois le blanc. Je vois le bleu.
Je bouge et je vois le bleu en sachant qu'il y a aussi du blanc.
Ce que je vois c'est la réalité, en vrai, puisque les deux existent.
C'est donc un gros avantage.

Silence.

ANIX.– Tu veux dire qu'il faudrait boiter pour voir le monde tel qu'il est ?

DOX.– Non, bien sûr que non.
Mais réfléchis, moi je peux voir ce que tu vois.

ANIX.– Oui, en changeant de place tout le temps.

DOX.– Toi tu ne peux voir ce que je vois qu'à la seule condition de te baisser. C'est moins pratique.

Et en plus tu ne verras jamais petite jambe et grande jambe à la fois.

Un long temps de doute.

ANIX.- Je préfère ne voir qu'un seul monde plutôt que d'être bancal.

DOX.- Je n'ai pas choisi.

Un temps.

ANIX.- Tu pourrais peut-être essayer de mettre une chaussure avec un gros talon.

DOX.- J'ai déjà essayé. Je voyais le monde penché. Je perdais l'équilibre. Je préfère rester comme ça.

Silence.
Ils marchent côte à côte.

ANIX.- Ce qui m'ennuierait le plus ce serait de ne pas pouvoir courir.

DOX.- Je peux courir.

Dox court en claudiquant.
Anix rigole.

ANIX.- T'es drôle.

Dox hausse les épaules et s'éloigne.

Attends, attends.

Anix rejoint Dox.

Je ne me moquais pas.

DOX.- Je dois rentrer, il va pleuvoir.

ANIX.- Le ciel est bleu.

DOX.- Je vois des gros nuages.
Je veux être chez moi avant la pluie.

ANIX.- Reste un peu.

DOX.- Non.
Tu devrais rentrer toi aussi.

ANIX.- J'ai le temps.

Des gouttes commencent à tomber.

DOX.- Ça se gâte.

*Dox arrive devant sa maison, il monte les quatre
marches du perron, ouvre la porte, s'abrite dans
son entrée tout en laissant la porte ouverte.
La pluie redouble.
Anix est resté au pied des marches.*

ANIX.- Je vais être trempé.

DOX.- Même si tu cours vite.

ANIX.- Je peux m'abriter chez toi ?

DOX.- Entre. Ça ne va pas durer longtemps.

ANIX.- Comment tu le sais ?

Anix le rejoint dans l'entrée.

DOX.- Baisse-toi un peu.
Tu vois là-bas le ciel est sombre.

ANIX.- Oui.

DOX.- Monte sur la pointe des pieds avec cette jambe et regarde.

Anix se contorsionne dans tous les sens.

ANIX.- Je ne vois rien.

DOX.- Je vais te faire la courte échelle.

Anix monte. L'équilibre est incertain.

Tu le vois maintenant ?

ANIX.- Un arc-en-ciel ! *(il redescend)*
Il y a d'autres trucs que tu vois et que je ne peux pas voir ?

DOX.- Plein.

ANIX.- Tu me les montreras ?

DOX.- D'accord.

ANIX.- Tape.

Ils se tapent dans la main.
La pluie a cessé.

Allez, je te laisse. Salut.

DOX.- Salut.

Anix sort de chez Dox.
Dox referme la porte.
Anix s'éloigne.
Il se retourne pour voir si son copain est bien rentré.
Il repart en boitant, scrute le ciel, l'horizon, les alentours, à la recherche de l'autre monde.

FIN

Dominique Paquet

PETIT FRACAS

PERSONNAGES :

PETIT FRACAS, un garçon d'une dizaine d'années
DIVINE, sa sœur plus jeune
INDIGO, ouvrier peintre d'origine africaine
LE PÈRE, de Petit Fracas et de Divine, puis LES PÈRES

LIEU :

Sur le palier d'un immeuble moderne.

Aube. Derrière la porte sur le palier, des voix indistinctes. Chagrin et colère. Entrée de Petit Fracas suivi de Divine. Pendant ce qui suit, il va monter une tente igloo.

PETIT FRACAS.- Six étages à l'aplomb vertical, moi au cœur de l'axe qui va des caves au toit... je le guetterai.

DIVINE.- Dans l'escalier ? Maman ! Viens !

PETIT FRACAS.- Plongée sur les abîmes, regard sur les cimes comme le gardien de Troie.

DIVINE.- Rentre !

PETIT FRACAS.- J'empêcherai les corbeaux d'entrer et de dévorer les cadavres.

DIVINE.- Cadavres ? Qu'est-ce que tu racontes ? Arrête-toi ! Laisse cette tente !

PETIT FRACAS.- Je le guette arc-bouté sur la rampe, il montera splendide ou penaud, honteux de sa fuite, sortant des eaux noires du lac souterrain ou descendant de la verrière sur une nuée.

DIVINE.- Rentre, Petit Fracas, s'il te plaît. Ne rajoute pas à la solitude, à la tristesse, ne complique pas le drame en catastrophe...

PETIT FRACAS.- Veilleur de la ville...

La tente commence à prendre forme.

DIVINE.- Et tu vas dormir là ?

PETIT FRACAS.- SA ville. Nous. SA ville qu'il a abandonnée. Son enclos, sa demeure, son havre. Nous qu'il vient de déserter. Jetés aux épluchures de sa vie mauvaise avec les reliefs d'un repas d'ennui. Pourquoi s'est-il enfui, il y a cinq jours et cinq nuits ? Et sa porte a claqué comme un cœur qui s'effondre ! Tu le sais, Divine ?

Noir de la minuterie.

DIVINE.- Je crois.

Lumière.

PETIT FRACAS.- Ne détourne pas la tête. Regarde-moi.

DIVINE.- J'aurais préféré te le dire dans l'obscurité.

PETIT FRACAS.- Je n'attendrai pas l'ombre nouvelle.

DIVINE.- Il... Quelqu'un l'attendait quelque part. Quelqu'une quelque part. Ailleurs. Une... rencontrée au hasard et qui veut le garder pour elle toute seule sinon elle meurt de chagrin.

PETIT FRACAS.- *(il ricane)* Elle meurt de chagrin ? Seule, toute seule unie contre nous tous ? Une seule et son chagrin agrandi, démesuré vaut mieux que les trois nôtres ? Lui ? Ce père à nous deux qui se fait ravir par cette pleureuse aux cent yeux de larmes, aux cent voix de chagrin ? Cette UNE qui n'est même pas une mère mais qui le deviendra avec lui. Voleuse, voilà ce qu'elle est, elle le sait, lui aussi et ils ont honte tous les deux de nous infliger le cataclysme, alors il disparaît ! Il disparaît et la nuit engloutit son absence.

DIVINE.- Oui... et toi, qui fais tout ce remue-ménage... au lieu de...

PETIT FRACAS.- Au lieu de quoi ? Aide-moi, installe-toi ici et maman aussi, installons-nous et faisons un grand chœur de colère et de chagrin. Rugissons toutes les nuits, la clameur réverbérée par la cage d'escalier vrombira, fera trembler l'immeuble sur ses bases et lui, où il est, dans le nouveau lit où il dort, il l'entendra.

DIVINE.- Je ne veux pas quitter maman. Dormir ici ? L'obscurité, le froid du carrelage sous les pieds, l'ombre et la lumière de la minuterie et tous les gens de l'immeuble qui passeront en ricanant, en s'apitoyant... Je ne veux pas. Nous veillerons de l'autre côté du mur, l'oreille collée à la cloison, nous t'écouterons attendre et rugir aussi pour l'appeler.

PETIT FRACAS.- Dans le noir, dans la lumière, dans l'épaisseur des jours sans école, je l'attendrai. Au long des matins où l'immeuble se vide d'ombres pressées vers les bureaux, dans la pénombre du soir où elles reviendront effritées, fatiguées, me croisant, moi, impassible, veillant sur les portes closes et l'escalier sans appel, je l'attendrai.

Noir de la minuterie.

DIVINE.- Pourquoi veux-tu tellement l'attendre dans l'escalier ?

Lumière.

PETIT FRACAS.- Dans l'entre-deux, Divine. Je ne veux plus habiter là où son corps a bougé, marché. Je fuis l'air qu'il a fendu parfumé de sa mousse à raser, je ne veux plus voir son creux vide dans le lit, maman seule à côté du précipice où elle n'ose pas rouler de peur de ne pas le trouver... je ne veux plus le guetter dans le couloir, au détour d'une chambre... Il me faut une terre vierge où je ne suis pas seul. Où l'air n'apporte rien de son parfum. Une atmosphère plate qui ne le respire pas.

DIVINE.- Je rentre. Maman pleure doucement dans la chambre.

Elle rentre dans l'appartement. Petit Fracas achève son campement, gonfle son matelas, s'installe. Un homme d'origine africaine monte l'escalier, chargé de tubulures.

INDIGO.- Quelqu'un ?

PETIT FRACAS.- Passe ton chemin, oublie-moi comme je t'oublie.

INDIGO.- *(en jouant)* Un campement nomade ? Une ville de poussière ? Ma carte n'indique aucun palais... aucune oasis... à moins d'un mirage ? Vite, ma gourde...

PETIT FRACAS.- Vous êtes dans ma yourte.

INDIGO.- Holà, nomade ! Où sont tes chevaux ? *(silence)* Holà, garçon ! Tu ne sais pas où dormir que tu t'installes ici avec ta yourte et tes prairies ?

PETIT FRACAS.- Si, mais le mur de ma chambre a volé en éclats. Où aller sinon dans ce passage, ce col entre deux montagnes où je peux bien voir les horizons de l'est et de l'ouest ?

INDIGO.- Bien sûr. Écoute, garçon, je dois installer un échafaudage pour repeindre la cage d'escalier. Tu veux bien replier ta... yourte ?

PETIT FRACAS.- Impossible. La tempête a déplacé mon lit jusqu'ici.

INDIGO.- Mmmm. Une tempête ? Une toute petite, sans doute ? Une bourrasque d'escalier ? Une tornade de couloir ?

PETIT FRACAS.- Non. Il y a eu un accident. Va-t'en, laisse-moi tranquille !

INDIGO.- Je n'ai pas le temps de discuter, démonte la tente et rentre jouer chez toi.

Il pose les tubulures à terre.

PETIT FRACAS.- Tu n'as pas compris ! Je te dis qu'il y a eu un accident, le relief des mondes en a été changé, même la Terre ne roule plus dans le même sens, ma vie tourne à l'envers des nuages !

INDIGO.- Un accident de quoi ? Tout est calme, fils, et je n'ai que trois jours pour repeindre...

PETIT FRACAS.- *(excédé)* UN ACCIDENT DE PÈRE !!!

INDIGO.- Ah !

PETIT FRACAS.- Quoi ?

INDIGO.- Ça me dit quelque chose. Mais très loin d'ici sur des terres rouges et brûlantes... Il y a très longtemps, quelque chose comme un souvenir de déjà vécu et de déjà partagé avec mes frères et sœurs. Oui. Une rapide solitude. En Afrique aussi, nous en avons. Rassure-toi. Beaucoup de pères ont des accidents de fils !

PETIT FRACAS.- Ça m'est égal.

INDIGO.- En Océanie aussi, nous en avons. Alors la tribu entière devient le père. Ou l'oncle, le frère de la mère !

PETIT FRACAS.- Je n'ai pas d'oncle !

INDIGO.- En Asie aussi, nous en avons. Alors les femmes choisissent d'autres pères, des pères rieurs, des pères mélancoliques, des pères colé-reux. Elles savent qu'ils ne font que passer, plus préoccupés de proies que d'enfants. Mais le monde est vaste, certaines régions regorgent de pères qui cherchent leurs enfants et qui errent tout seuls aussi !

PETIT FRACAS.- *(avec ironie)* Qu'ils viennent ! Je les attends, je les prendrai tous en échange !

INDIGO.- En Arctique aussi, nous en avons. Le Grand Caribou devient alors le Père invisible de tous les enfants mâles !

PETIT FRACAS.- Et les enfants femelles ? Je ne suis pas né d'un animal que je ne connais même pas !

INDIGO.- En Antarctique aussi, nous en avons... *(rire)* Ah non ! Là-bas, il n'y a ni pères, ni fils, rien que des glaçons de passage.

PETIT FRACAS.- Alors mon père doit y être.

INDIGO.- Peut-être. Aux Amériques aussi, nous en avons. Couronnés d'aigles à deux têtes, le glaive à la main...

PETIT FRACAS.- Il y a donc des accidents de père sur toute la planète ?

INDIGO.- Oui. Ton histoire est assez banale, finalement ! Une tempête ? Non, un petit vent coulis. Un soupir, une émotion.

PETIT FRACAS.- Mais c'est la mienne, celle de Divine, de maman !

INDIGO.- Voilà la différence. Tu comptes attendre longtemps au pied des montagnes ?

PETIT FRACAS.- Jusqu'à ce qu'il revienne ! Laisse-moi un peu de temps !

INDIGO.- D'accord. À demain. Moi aussi je dois repeindre l'horizon.

Petit Fracas opine. Indigo repart.

PETIT FRACAS.- *(finissant son installation)* Attendre le père... attendre la nuit... attendre la fin du cours de maths... attendre l'amour... J'ai l'impression que je ne fais qu'attendre pour être heureux. Attendre que tout soit parfait, calme... Et cela n'arrive jamais... Il y a toujours un souci. Si, parfois cela arrive... alors j'ai peur... je souhaite qu'il se passe quelque chose pour que cesse la paix dangereuse... puis l'attente revient. Le duvet n'est pas très chaud... je me ferai du thé pour rester éveillé. *(il fait chauffer de l'eau sur un petit réchaud)* J'ai rêvé que papa revenait, cette nuit. Vêtu d'un peignoir de bain, il sortait d'un placard de la cuisine, l'œil d'humour brillant : « Je vous ai fait une blague, je n'étais pas parti, simplement caché pour vous faire peur. » Au réveil, j'ai senti le cauchemar bien vissé en moi. Impossible de le nier. Il était parti. Qu'est-ce qu'il fait sombre ! Demain, je collerai un Scotch sur la minuterie pour garder la lumière, la nuit... Les larmes que tu pleures, elles, ne rêvent pas.

Il se couche. Ici commence le rêve de Petit Fracas. Rêve réaliste et en même temps mêlé de réminiscences de feuilletons, de jeux vidéo. Une corde surgit au centre de la cage d'escalier, légèrement éclairée par la lune. Un homme-grenouille en descend.

LE PÈRE.- Petit Fracas !

PETIT FRACAS.- Papa ? Qu'est-ce que tu fais en homme-grenouille ? Et le couteau à la ceinture ?

LE PÈRE.- Crois-moi, je n'avais pas d'alternative. J'ai nagé jusqu'à la rue Bleue, puis dans un courant glacé qui m'a propulsé jusqu'au château d'eau... Je ne croyais pas que ce serait si long... Les icebergs me cernaient de tous côtés et une seule bouteille d'oxygène ! *(il s'ébroue)* Tu me laisses aborder ? Tu m'offres un thé ?

PETIT FRACAS.- Oui... Tu étais en Antarctique ?

LE PÈRE.- J'ai séché au milieu d'une foule de manchots et de veaux de mer puis replongé pour te rejoindre... malgré le froid...

PETIT FRACAS.- Qu'est-ce que tu veux ? Pourquoi tu es parti ?

LE PÈRE.- Du calme ! Mission secrète. Une mission ! J'ai eu brutalement l'impression que tu m'appelais, non ?

PETIT FRACAS.- Oui…

LE PÈRE.- Que tu voulais entendre ma défense, mes arguments ?

Ils boivent un thé brûlant.

PETIT FRACAS.- Non. Que tu reviennes. Seulement que tu reviennes.

LE PÈRE.- Il y a pas mal de hérissons ici ?

PETIT FRACAS.- Non. Pourquoi ?

LE PÈRE.- Ah ! Tant mieux. Et des autruches ?

PETIT FRACAS.- Non plus.

LE PÈRE.- Je les crains. Ce cou… ce cou… ce cou tordu… et cet œil plat qui vous toise !

PETIT FRACAS.- Tu es venu pour rester ?

LE PÈRE.- Non. Je venais t'expliquer pourquoi je me suis laissé entraîner par la migration des anguilles !

PETIT FRACAS.- Tu vas repartir ?

LE PÈRE.- Bien sûr. La banquise m'attend et le pôle magnétique.

PETIT FRACAS.- Alors, ce n'est pas la peine. Plonge donc la tête dans le vide et repars d'où tu viens. Je ne veux même pas t'entendre !

LE PÈRE.- Il faut que je te le dise avant la chute de l'Empire romain.

PETIT FRACAS.- NON ! Pars ! Jette-toi dans le vide, allez, évapore-toi ! *(Petit Fracas le pousse dans le vide, le père tient en l'air)* Ne reviens jamais ! Ta vie ne m'intéresse pas ! J'ai assez de la mienne et de mes aventures en série B ! *(tape sur le mur)* Divine, viens me rejoindre ! Ce que je veux, c'est ton retour !

LE PÈRE.- *(accroché à la corde en équerre comme un acrobate)* Tu me déçois, Petit Fracas, je pensais que tu saurais faire le saut périlleux qui fait grandir en quelques jours !

PETIT FRACAS.- Quoi ? Je ne veux rien savoir !

LE PÈRE.- La vérité, il la faut. Tu la veux ?

PETIT FRACAS.- ... Dis-la.

LE PÈRE.- *(il se transforme peu à peu en guerrier d'heroic fantasy)* La vérité ne se monnaye pas, ô mon fils. Elle se conquiert.

PETIT FRACAS.- Tu as besoin de te transformer en... ? En quoi d'abord ?

LE PÈRE.- C'est malgré moi.

PETIT FRACAS.- Mais qui es-tu, là ?

LE PÈRE.- Je ne peux pas contrôler. Des espaces bougent à l'intérieur de ma carcasse, une forme surgit brusquement... je ne sais jamais laquelle... Un chevalier des terres australes ? Un Venimor caparaçonné ?

PETIT FRACAS.- Bon, achève, ça ne m'intéresse pas, je t'écoute.

LE PÈRE.- Petit Fracas...

PETIT FRACAS.- Tu as l'air niais des chevaliers qu'on adoube ! Pose ton épée.

LE PÈRE.- Avant, je riais lorsque j'entendais ces phrases que disent les autres. Tu sais... l'histoire de l'amour passion, l'amour courtois... Ces phrases comme : « Contre l'amour, on ne peut rien, la passion est irrésistible, on est capté malgré soi, enchaîné... hypnotisé... une force nous entraîne irrésistiblement... vers la bien-aimée lointaine... Là-bas, à Tripoli... » Sus aux Sarrasins ! Où sont-ils ? Sarrasins ?

PETIT FRACAS.- Ils dorment derrière la muraille !

LE PÈRE.- Ces autres qui disent : « On est prêt à supplier l'autre, à s'humilier, à dormir devant sa porte tellement on l'aime, on perd le boire et le manger, le sommeil… » Ces phrases-là, tu les as entendues ? Je les ai toujours trouvées ridicules. Jusqu'au jour…

PETIT FRACAS.- Ta vie d'adulte ne m'intéresse pas.

LE PÈRE.- Le cataclysme, le ravissement. *(il chante)* Et même lorsqu'au jardin d'amour je me pro-mène…

PETIT FRACAS.- Tu es parti. Pourquoi ?

LE PÈRE.- La cour d'amour, mon fils… Cette force existe. Oui. Cette aspiration irrésistible à rejoindre l'autre, à rompre les liens avec la famille vieille, le couple ancien, les enfants passés. Oui. On entend un fracas de bataille au loin, non ?

PETIT FRACAS.- Non.

LE PÈRE.- Des larmes au loin, très loin ?… Non. Je ne veux plus de ma femme ancienne, elle m'a lassé, laissé. Je me suis trouvé pris au cœur d'une tempête, d'un tourbillon ! Je ne suis pas une statue de sel insensible ! Une icône de père immuable ! Mais je suis tombé en amour, voilà la vérité… Crois-moi, Petit Fracas, je ne t'aime plus, je ne vous aime plus. Votre soleil ne m'éclaire plus.

PETIT FRACAS.- Mon père ne peut pas me dire ça ! Enfant passé ? C'est ce que je suis devenu pour toi ? Plonge, plonge ! Repars te noyer dans le vide !

Il le repousse.

LE PÈRE.- Voilà la vérité. Si simple. Dès que ma décision a été prise, une sorte d'évidence m'a envahi, je n'allais pas poursuivre une vie qui n'était plus la mienne ! Cette carcasse de vie ! Je savais bien que j'allumerais un incendie, que j'organiserais un carnage. Mais comment faire autrement ? C'était vous ou moi.

PETIT FRACAS.- Je t'aurais enfermé dans ma chambre si j'avais su, je t'aurais affamé jusqu'à ce que tu changes d'avis.

LE PÈRE.- Peut-être que je vous aime toujours, je ne sais plus. Mais je dois surtout me préserver, ne pas vous voir. Masque, caoutchouc, heaume, visière, cuirasse me protègent de vos fantômes ! Et l'épée ! « Père, gardez-vous à droite... père, gardez-vous à gauche ! »

PETIT FRACAS.- Dissous-toi, vite ! N'existe plus !

LE PÈRE.- Tu es un gosse. Tu ne comprends rien. Je te jure qu'il y a un combat près d'ici, un fracas d'armes et de larmes. De larmes blanches.

PETIT FRACAS.– Pourtant… pourtant, papa… tu étais là quand nous sommes nés. Tu as vu nos cheveux mouillés apparaître entre les cuisses de ta femme, puis nos corps rougis par l'effort de naître de vous deux. Tu as coupé le cordon avant de t'évanouir dans les bras de l'infirmière, écrasé par l'acte même de faire naître dont tu étais responsable à part égale avec maman ! Ton fils, ta fille. *(le père, qui est maintenant habillé de manière contemporaine, se dédouble)* Tu nous as langés, baignés, tout cela avait un sens pour toi, comme de ramasser à la cuillère la compote dégoulinant sur nos mentons ! Tu rétablissais l'ordre dans nos chaussures lorsque nous mélangions le pied gauche et le pied droit… Tu galopais sur les chevaux de manège, nous tenant fermement par la taille comme un ballot précieux, et tu montais et descendais, fier, ridicule, en rythme, comme si tu avais galopé dans les plaines de Mongolie avec le prince héritier ! Est-ce que cela ne soudait rien dans ton cœur ? Aucun amour ? *(le père devient triple)* Tu as aimé jouer aux Vingt-Quatre Heures du Mans avec les petites voitures à balais, et le camion Waterman, une rareté trouvée dans une poubelle ! Tu as aimé les photos de classe et nos oreilles décollées… Et comme c'était bon de signer nos bulletins trimestriels !… Tu as aimé la plage, Divine avec ses lunettes de soleil posées de travers sur ses joues et ses petits yeux nous regardant en souriant dans son berceau qui semblaient dire : « C'est malin ! » ... Tu as aimé les courses de petits cyclistes dans les dunes, *(le père devient quadruple)* et ma collection de pelleteuses jaunes... nos balades à rollers et tes chutes sur le goudron !... l'odeur des chardons bleus en haut des dunes, la ligne drue du partage du sable et de l'océan lorsque nous arrivions chargés d'épuisettes, de cerfs-volants, de boomerangs... tout un arsenal inutile pour finir par juste nous enterrer dans le sable, et rire... juste la tête qui dépassait !... *(quintuple)* Tu as aimé ?

LES PÈRES.- Oui... oui... rien à voir... Oublié ! Tout ça ? Oublié.

PETIT FRACAS.- Arrête de te multiplier ! Pourquoi tu augmentes ? *(sextuple)* Je parle au seul ! À l'unique père ! *(le père se multiplie très vite : dix, quinze, vingt)* Où est le vrai ?

Petit Fracas se glisse entre eux et le cherche.

LES PÈRES.- *(une foule de pères identiques)* Mais là.

PETIT FRACAS.- Reflets d'un seul ! Reflets ! Partez ! Ne revenez plus ! Où est mon père seul ?

LES PÈRES.- Parle, je t'entends.

PETIT FRACAS.- Tu as aimé ? Ce que j'ai dit. Tu as aimé ?

Il ne cesse de passer au milieu des pères.

LES PÈRES.- Oui, j'ai aimé… j'ai aimé… j'ai aimé… *(en écho et* ad libitum*)*

PETIT FRACAS.- Et lorsque tu t'es planté un clou dans le pied en courant sur la plage et en criant : « Vive les vacances ! » et boitillé sous les pins – mais ça ne t'empêchait pas de me poursuivre… et lorsque tu te faisais des sandwichs au pain… *(il rit)*

Divine sort du mur en costume d'heroic fantasy.

DIVINE.- Lorsque tu alignais les bûchettes sur la table pour nous apprendre à compter, lorsque nous ne comprenions rien à la soustraction : « J'ai cinq bonbons, j'en mange quatre, combien en reste-t-il ? Neuf ! »… lorsque tu nous passais de l'arnica sur les bosses… ARNICA, le mot était splendidement compliqué… lorsque nous avons pris le train pour la première fois…

LES PÈRES.- Arnica, oui, j'ai aimé, j'ai aimé, j'ai aimé…

PETIT FRACAS.- Menteurs !

DIVINE.- Tu mens, vous mentez !

LES PÈRES.- J'ai… Nous avons aimé tout ce que vous avez dit. Mais dans la balance, le passé chargé d'amour ne vaut rien contre celle qui nous attend dans un futur, où aucun de vous n'est présent.

PETIT FRACAS.- Disparaissez alors. Personne ne veut plus de vous, de toi. Allez… va conquérir tes nouveaux souvenirs sans nous.

DIVINE.- Si c'est la vérité, pars ! Laisse-nous vivre avec le vide.

PETIT FRACAS.- Le vide de toi.

DIVINE.- Le vide de toi.

Les pères et Divine disparaissent dans un petit souffle. La lumière revient. Indigo est devant lui.

INDIGO.- Réveille-toi, je suis revenu !

PETIT FRACAS.- Papa ?

INDIGO.- Non, moi, Indigo.

PETIT FRACAS.- Tu es seul ? Il ne t'a pas accompagné ?

INDIGO.- Je ne l'ai pas retrouvé, il doit errer sur d'autres terres. Tu veux un pinceau ?

PETIT FRACAS.- Oui. *(petit temps de réflexion)* Donne-moi un peu de bleu.

Ils peignent.
Noir.

Mai 2004 – mars 2005.

Dominique Richard

LES OMBRES
DE RÉMI

PERSONNAGES :

RÉMI

MAX

Scène 1

RÉMI.- Je m'imprègne du soleil, je l'absorbe comme une éponge. Je voudrais toujours qu'il fasse ce soleil, quand on peut contempler son ombre bien nette devant soi. On est moins seul lorsqu'on discute avec et quelle tristesse de la voir disparaître ! C'est comme avant, ici, on se croirait à l'enfance du monde. Ce sont les mêmes arbres, les mêmes feuilles que mangeaient les dinosaures. J'aimerais me diluer dans ce paysage, m'oublier, me transformer en rocher, caméléon minéral. Tout se courbe et s'apaise. La journée s'arrondit des couleurs de vacances.

MAX.- Tu t'admirais dans l'eau ? Regarde, maintenant, tes bouts de visage qui s'éparpillent.

RÉMI.- Pourquoi tu as jeté ce caillou ? Tu aurais pu me blesser.

MAX.- Pas de risque. Je suis un as pour viser. Je touche un oiseau ou un chat à cinquante pas si je veux.

RÉMI.- Tu lances des pierres aux chats ?

MAX.- À quoi ça sert, les chats, sinon à leur jeter des cailloux ? Tu les verrais déguerpir, et miauler, c'est tellement drôle.

RÉMI.- J'espère que tu n'envoies pas de pierres sur Hercule.

MAX.- Hercule ? Qui c'est ça, Hercule ? Connais pas.

RÉMI.- C'est le chat de pépé, et mon meilleur ami.

MAX.- Ah ? S'il est ton ami, je ferai attention. Il faudra que tu me le présentes. Tu es qui, toi ?

RÉMI.- Je suis Rémi, en vacances chez mon grand-père, la maison à côté, avec le grand jardin qui donne sur la rivière.

MAX.- Oui, je vois. Je connais le vieux. Dans le village, tout le monde le prend pour un fou.

RÉMI.- Pépé n'est pas fou.

MAX.- Tu sais, ce que les gens racontent... Alors tu es en vacances ? Ça fait quoi, d'être en vacances ?

RÉMI.- Comment ça ?

MAX.- Je n'en ai jamais eu, alors je me demande comment c'est.

RÉMI.- On se repose, on rend visite à son pépé ou on part à la mer, et on finit ses devoirs de vacances.

MAX.- C'est tout?

RÉMI.- Je crois. Et toi, tu es qui?

MAX.- Moi, je me promène.

RÉMI.- Oui, mais tu habites où?

MAX.- Tu vois le château en face? C'est là que je vis.

RÉMI.- Tu t'appelles comment?

MAX.- Ça dépend.

RÉMI.- Ça dépend?

MAX.- Au château, tout le monde m'appelle Max. Il paraît que c'est mon vrai nom. Enfin, celui que mes parents m'auraient donné. Mais moi, je préfère Nicolas. Quand je viens ici, que je m'échappe, il n'y a plus de Max. C'est Nicolas qui jette des pierres, déniche les oiseaux, chaparde des pommes ou discute avec Fantômas...

RÉMI.- Fantômas ?

MAX.- C'est ma pie. Je l'élève. C'est ma seule amie.

RÉMI.- Tu n'as pas de camarades ?

MAX.- Ah ça, non, je suis entouré d'ennemis. Les surveillants, les grands, qui passent leur temps à m'humilier et à me battre. Mais je m'échappe tous les jours. Je connais un passage dans le mur qui donne sur la rivière. Je peux rejoindre le pont et arriver au lavoir sans être aperçu. Je suis malin, ils n'ont jamais réussi à me coincer.

RÉMI.- Et tes parents, où sont-ils ?

MAX.- Ils sont morts, cette blague, sinon je ne serais pas au château. Pastèque bleue ! C'est la sonnerie pour le repas. Je dois me dépêcher de rentrer.

RÉMI.- Ce serait bien de se retrouver demain.

MAX.- Si tu veux. Je t'attendrai ici. Je te montrerai ma cabane et je te présenterai Fantômas.

RÉMI.- Moi, je viendrai avec Hercule. À demain, heu... Nicolas.

Scène 2

MAX.- Rémi, Rémi ! Je t'ai aperçu au bout du chemin.

RÉMI.- Max, je suis content.

MAX.- Nicolas ! Je m'appelle Nicolas.

RÉMI.- Excuse-moi. Tu as raison, il me faut aussi un autre nom.

MAX.- Pourquoi ? Tu n'aimes pas être chez ton grand-père ?

RÉMI.- Si. Mais on devrait porter un nom différent pour chaque chose que l'on fait. J'en aimerais un pour quand je joue avec Hercule, un pour si je me fâche, pour lorsque je travaille à l'école ou que je m'amuse à « celui qui court plus vite que son ombre », un autre pour chaque fois que je me tiens là mais je ne sais pas si j'y suis vraiment, et puis, un encore pour les moments où je reste avec toi.

MAX.- Ça fait beaucoup. Tu risques de ne plus t'y retrouver.

RÉMI.- J'aimerais découvrir les mille prénoms pour les mille Rémi que je suis.

MAX.- Pendant que tu es avec moi, tu pourrais t'appeler Robinson.

RÉMI.- Robinson ?

MAX.- C'est joli Robinson. Ça fait explorateur.

RÉMI.- Tu trouves ? Lorsque je serai avec Hercule, je m'appellerai Thibaud, tel un chevalier.

MAX.- Moi aussi, je veux d'autres prénoms. Tandis que je bavarderai avec Fantômas, je serai Athos, comme un mousquetaire.

RÉMI.- Et aussitôt que je bouderai, je me nommerai Hubert.

MAX.- Pourquoi ?

RÉMI.- Dans ma classe, il y avait un Hubert. Dès qu'on étudiait les mathématiques, il ronchonnait.

MAX.- Il faut un autre nom à Fantômas, pour quand elle se cache dans les feuilles des arbres et qu'elle me siffle.

RÉMI.- Pour Hercule, lorsqu'il assomme les souris.

MAX.- Pour ton grand-père, s'il te hurle dessus.

RÉMI.- Je dois aussi donner un nom à mon ombre.

MAX.- Ton ombre ?

RÉMI.- Oui, je te présente... Écho, ma meilleure amie. Il m'a fallu longtemps pour m'habituer à elle. Des fois, elle s'échappe mais je suis rassuré quand elle reste en ma compagnie.

MAX.- Ton ombre, c'est une fille ?

RÉMI.- Je ne t'ai pas rencontré ces derniers jours. Tu étais où ?

MAX.- Je n'ai pas pu sortir.

RÉMI.- Pourquoi ?

MAX.- Puni. Les grands, ils m'ont coincé dans les douches, mais je sais me défendre. Ils m'ont bien frappé, mais j'ai réussi à en moucher un. Il a un joli œil au beurre noir.

RÉMI.- Tu as été puni ? C'est injuste !

MAX.- C'est comme ça, la vie. C'est normal d'être puni si on fait des bêtises. Je n'ai pas pleuré, je les ai regardés en face et j'ai souri. S'ils croient me faire mal ! Je ne sens même pas leurs coups, comme s'ils tapaient dans un édredon.

RÉMI.- Ça ne doit pas être drôle, le château.

MAX.- Pourquoi ? Les gifles, ça aide à devenir plus fort. Et je les mérite.

RÉMI.- Je n'aime pas qu'ils te battent.

MAX.- T'inquiète ! Ils seront bien attrapés, ils me chercheront dans mon lit, un matin, mais j'aurai disparu.

RÉMI.- Comment ?

MAX.- L'autre jour, je suis monté au sommet d'un arbre et j'ai découvert la cachette de Fantômas. Elle contient des bijoux, des colliers, des pierres précieuses, des coffres avec des pièces d'or, des épées. J'ai failli tomber car, en penchant ma tête, mille morceaux de visage sont apparus. C'était les reflets d'un miroir cassé. Ils m'ont donné le vertige et je suis redescendu. Fantômas m'a expliqué que c'était son piège secret contre les voleurs, que son trésor était pour moi, mais qu'il ne fallait pas lui prendre maintenant, qu'elle me le donnerait dès qu'elle serait morte et qu'avec je pourrai m'enfuir, partir loin explorer le monde.

RÉMI.- Je pourrais venir avec toi ? Moi aussi, j'aimerais bien découvrir le monde.

MAX.- Si tu veux. Mais il faudrait être encore plus riche.

RÉMI.- Qu'est-ce qu'on pourrait inventer ?

MAX.- Si on volait des pommes dans le jardin des deux frères fous et qu'on les vendait au marché ?

RÉMI.- Ce n'est pas bien de voler.

MAX.- Pfut ! Tu es un froussard. Pour fuir avec moi, il ne faut pas être peureux comme une fille.

RÉMI.- Je ne suis pas comme une fille ! Simplement, imaginons un meilleur moyen pour devenir riches.

MAX.- Lequel ?

RÉMI.- On trouvera. La sonnerie ! C'est déjà l'heure.

MAX.- Je dois me dépêcher ! Réfléchis bien si tu veux qu'on s'en aille tous les deux.

RÉMI.- Tu ne partirais pas sans moi, quand même ?

MAX.- Non, je ne te laisserai pas. À demain, Rémi !

RÉMI.- Robinson ! Je m'appelle Robinson, maintenant ! Comme les explorateurs !

Scène 3

RÉMI.- Hercule! Tu dors déjà? Dommage... J'avais envie de discuter. Je ne peux vraiment parler qu'avec toi. Avec Max, je n'ose pas. Il se moque sans cesse de moi, alors que toi, tu écoutes et tu ronronnes – lorsque tu ne dors pas, bien sûr. Max, il est beau. Quand il s'est baigné, hier, je n'ai pas pu me mettre torse nu. J'ai juste ôté mes chaussures pour tremper mes pieds. Mais même eux, je les ai trouvés ridicules, comme de vieux oiseaux déplumés. Tandis qu'il avançait vers la rivière, son dos était dans l'ombre, et le soleil se reflétant sur l'eau m'aveuglait. J'ai cru voir un génie échappé d'un de mes livres pour enfants ou une sorte d'animal inconnu, une bête disparue depuis la nuit des temps qui reviendrait seulement pour moi, pour que je puisse la contempler. Il s'est retourné et a souri, de ce sourire que je trouvais ridicule avant. J'ai baissé la tête et j'ai barboté avec mes pieds laids. Il m'appelait, me suppliait de le rejoindre mais j'ai répliqué que l'eau était trop froide, que je n'avais pas le droit de me mouiller. Je suis resté sur le bord, solitaire, l'écoutant rire, alors que mon seul désir était de me glisser dans le courant pour jouer avec lui.

Scène 4

RÉMI.- Elle est toute petite, cette mare. Je me souvenais d'une étendue d'eau immense.

MAX.- Elle a peut-être diminué.

RÉMI.- Tu aperçois les têtards ?

MAX.- Non.

RÉMI.- C'est sans doute l'heure de la sieste. Il ne faut pas les réveiller.

MAX.- Tu crois qu'on peut faire fortune en vendant des têtards sur le marché ?

RÉMI.- Pourquoi non ?

MAX.- Qui peut avoir besoin de têtards ?

RÉMI.- En tout cas, moi, j'en achèterais si on m'en vendait. Songe à tout l'argent qu'on gagnera : on s'offrira une tente pour parcourir le monde.

MAX.- Je ne sais plus si j'ai vraiment envie de partir.

RÉMI.- Quoi ?

MAX.- Je ne peux pas laisser Fantômas toute seule. Elle s'ennuiera sans moi. Je suis habitué à être ici. Je veux bien m'en aller, mais pas maintenant. Plus tard, ce sera bien. On n'a pas d'argent. Et le temps de vendre nos têtards, on risque d'être encore plus vieux que ton grand-père.

RÉMI.- C'est trop long, les vacances sont presque finies. Tu sais, Nicolas, j'ai beaucoup réfléchi. L'autre jour, en faisant ma toilette, j'ai trouvé un porte-monnaie rempli de billets, dans le placard de la salle de bains. Ce sont les économies de pépé.

MAX.- Hein ?

RÉMI.- Il suffit de les emprunter. On lui rendra plus tard.

MAX.- Mais il ne sera peut-être pas d'accord.

RÉMI.- On ne va pas lui demander, cette idée !

MAX.- Il ne sera pas content.

RÉMI.- Pourquoi ? Il n'en a pas besoin, de ses sous.

MAX.- Tu es fou. On ne peut pas voler ton grand-père.

RÉMI.- On le remboursera à notre retour. Lorsque Fantômas amasse son trésor, tu ne dis rien. Ce n'est pas méchant puisque c'est pour notre voyage.

MAX.- Qu'est-ce qu'ils penseront, au château ?

RÉMI.- Tu as peur ?

MAX.- Non, mais...

RÉMI.- Tu me déçois, Nicolas, je ne croyais pas que tu pouvais être effrayé.

MAX.- Je n'ai pas peur !

RÉMI.- Tu es froussard, comme une fille.

MAX.- Ne répète jamais ça !

RÉMI.- On va s'en aller cette nuit. Tu ne rentres pas au château. Tu te caches dans l'abri avec Fantômas. Moi, je dîne chez pépé, et dès qu'il ronfle, je rapporte ses économies.

MAX.- Pourquoi tu désires te sauver ? Tu sais qui tu es, tu possèdes tout, ton grand-père, tes parents, tout est simple pour toi. Qu'est-ce que tu crois fuir ? À quoi bon tout abandonner ?

RÉMI.- Je ne veux plus rester sur le bord de la rivière, les pieds dans l'eau. Après-demain, je rentre chez moi, à la ville. Nous devons partir maintenant, tout de suite, sinon... nous ne le ferons jamais.

MAX.- Tu as raison.

RÉMI.- On se retrouve dans la cabane. Je t'apporte à manger. Attends-moi.

Scène 5

MAX.- Robinson ! Tu t'es endormi ? Dommage ! J'avais envie de discuter un peu avec toi. On est bien, perdus au milieu des branches et des feuilles. C'est comme un nid. Nous allons partir d'ici et explorer le monde. À deux, on peut se perdre sans souci, l'un ou l'autre finit toujours par retrouver le chemin. On va découvrir des terri-toires inconnus, conquérir des royaumes, monter des dromadaires, dormir à la belle étoile, se pro-mener dans le désert ou marcher jusqu'à la côte, quand le sable se glisse sous la mer. On se bai-gnera tout nus et on ramassera des coquillages, ce sera mes premières vacances. Impossible de se mentir ou de garder des secrets, on sera le même, avec deux corps différents. Il ne t'arrive pas d'être fatigué de toi ? Certains jours, je me hais. Je suis peut-être fort, mais je ne suis pas intelligent. Toi, tu sais trouver les jeux qui me plaisent. Je crois qu'au château ils me détestent. Ils ont raison, tout est toujours de ma faute. Mais qu'est-ce que j'y peux? Ils exigent que je brosse mes cheveux, que je sois poli, que je travaille en classe. Tout le monde désire que je sois quelqu'un d'autre. Je ne veux pas être doux, je ne veux pas pleurer comme une fille, je dois être encore plus fort, être comme un chevalier. J'aimerais te prendre dans mes bras et t'écrabouiller, te battre et te mordre jusqu'au sang, laisser ma marque, imprimer sur toi un souvenir de moi, pour que tu ne puisses jamais m'oublier.

RÉMI.- Max, Max, tu me fais mal!

MAX.- Je t'ai réveillé, Rémi?

RÉMI.- Qu'est-ce qui se passe?

MAX.- C'est l'heure de partir.

RÉMI.- Déjà? J'ai froid!

MAX.- Approche-toi, il faut te blottir contre moi pour te tenir chaud.

RÉMI.- Pourquoi tu m'as mordu?

MAX.- Je ne sais pas. Allons-y, maintenant.

Scène 6

MAX.- J'en étais sûr! Nous sommes perdus et maintenant, en plus de mourir de faim, nous risquons de nous noyer.

RÉMI.- Nicolas, il ne faut pas se désespérer. Ce marais n'est pas si grand, nous finirons bien par en sortir.

MAX.- Je t'avais prévenu, il n'y a plus de chemins, de gros arbres pour nous repérer. L'eau et la terre se mélangent. Dans la forêt, la rivière est un marécage. Elle devient magique et égare ceux qui s'y aventurent.

RÉMI.- Tu crois à ces histoires?

MAX.- Pourquoi non?

RÉMI.- Ce sont des blagues. Mon grand-père en raconte tout le temps, mais ce n'est pas vrai.

MAX.- Si le marais nous avale, il ne faudra pas t'étonner ni me crier dessus.

RÉMI.- Je ne le laisserai pas te manger, crois-moi. N'oublie pas, à deux, on peut se perdre sans souci, l'un ou l'autre finit toujours par retrouver le chemin. Donne-moi la main.

MAX.- On ne distingue plus rien, la lune est cachée par les nuages, la brume enveloppe les arbres. Qu'est-ce qu'on va devenir ?

RÉMI.- C'est comme ça quand on est des explorateurs ! Sinon, tout le monde serait explorateur.

MAX.- Alors je n'ai plus envie. C'est trop fatigant.

RÉMI.- Nicolas, pense à la mer, au désert, songe à toutes nos conquêtes futures.

MAX.- Je n'aurais jamais dû t'écouter. J'étais sûr que ça ne marcherait pas.

RÉMI.- C'est toi qui voulais t'évader ! Tu n'es pas capable d'être un aventurier, tu es tout juste bon à rester dans ta cabane avec Fantômas.

MAX.- Moi, le jour où je m'éclipserai, ce sera pour de vrai. Je ne me tromperai pas de route et je ne m'égarerai pas dans les marécages.

RÉMI.- Si tu es tellement malin, tu n'as pas besoin de moi.

MAX.- Oui, séparons-nous.

RÉMI.- Très bien ! Cours retrouver ta Fantômas et ton château et tes chaussons fourrés !

MAX.- Oui, c'est ça! Et toi, galope donc te faire avaler par des sables mouvants!

RÉMI.- Peureux! Tu n'es pas Nicolas, mais Max, qui se fait taper par les grands!

MAX.- On a raison de t'appeler Rémilette, le gar-çon à l'ombre de fille!

RÉMI.- Pantoufle!

MAX.- Valise trouée!

RÉMI.- Pastèque ramollie!

MAX.- Diplodocus mal débouché!

RÉMI.- Tu n'es plus mon ami!

MAX.- Tu n'es plus mon frère!

RÉMI.- Qu'est-ce que je vais devenir tout seul? Pourquoi s'inventer des prénoms puisque c'est toujours soi qu'on retrouve? À quoi ça sert de par-tir maintenant? Ça m'aurait plu qu'on se promène tous les deux au pays des baobabs et des croco-diles... Je ne suis jamais parvenu jusqu'ici. Je ne savais pas que tu te dispersais en mille éclats de rivière. Tu m'as tendu un piège, n'est-ce pas? Plus de berge, plus de courant, tout s'imbrique en laby-rinthe d'eau et de terre. Tiens, te voilà, la lune!

Qu'as-tu, à m'observer comme ça ? Je n'ai rien entrepris comme il faut ? Qu'est-ce que j'y peux ? C'est trop tard, maintenant. Ce n'est plus la peine de séparer les arbres des roseaux, de découper les îlots de la rivière, de redonner à chacun son ombre. Mieux vaut demeurer dans le brouillard ! Et chercher le chemin de la maison de pépé, me faufiler dans ma chambre, caresser Hercule, me glisser dans mon lit, puis demain, repartir à la ville, retrouver mes parents, mes amis. J'ai compris, la lune, inutile de me lancer ces regards noirs, je retourne me coucher.

Scène 7

RÉMI.- Max, tu es drôlement bien habillé, aujourd'hui ! On dirait que tu vas au bal !

MAX.- Oh, c'est mon habit du dimanche.

RÉMI.- C'est passé vite. Toute ma vie, je me souviendrai de ces vacances.

MAX.- C'est cruel de devoir se séparer. Pourquoi on ne peut pas rester toujours ensemble ?

RÉMI.- On se retrouvera l'année prochaine.

MAX.- Ce ne sera pas pareil. On se croisera sur le chemin comme des étrangers.

RÉMI.- Je serai triste quand je penserai à toi.

MAX.- Si ça te rend triste, tu n'as qu'à m'oublier.

RÉMI.- Hein ?

MAX.- Oui, à quoi ça sert de se rappeler les choses qui font de la peine ?

RÉMI.- Des fois, c'est agréable, aussi. Je ne veux pas t'oublier. Je désire toujours me souvenir de toi.

MAX.- À quoi bon ? Tu rencontreras d'autres amis, d'autres rivières.

RÉMI.- Tu ne seras pas chagriné, toi ?

MAX.- Pas du tout. Pour moi, tu es déjà parti. Je te reconnais à peine. Je ne sais déjà plus la couleur de tes yeux.

RÉMI.- Tu blagues.

MAX.- Non ! Et si on se rencontre plus tard, ce sera comme pour la première fois.

RÉMI.- Tu veux encore t'échapper ?

MAX.- Je ne sais plus. Oui, un jour, sans doute, je partirai.

RÉMI.- Mais aux prochaines vacances, tu seras toujours ici ?

MAX.- Peut-être.

RÉMI.- *(klaxon)* Pépé m'accompagne à la gare avec sa vieille voiture, comme lorsque j'étais petit.

MAX.- Alors salut, Rémi.

RÉMI.- C'est bête qu'on se soit disputés.

MAX.- Ça aussi, c'est effacé.

RÉMI.- Hum! dans un an, promis, on inventera de nouveaux jeux, et on se retrouvera au bord de l'eau.

MAX.- Donnons-nous la main.

RÉMI.- Max... Je ne te l'ai jamais dit... Vrai, je ne t'oublierai jamais.

MAX.- Mais si, tu verras. À bientôt, Rémi l'aventurier, avaleur d'asperges, écrabouilleur d'ombres !

RÉMI.- Au revoir, Max, à l'année prochaine! Max...

MAX.- Quoi, encore ?

RÉMI.- *(il l'embrasse furtivement sur la joue)* Comme ça, toi non plus, tu ne m'oublieras jamais ! *(il part en courant)*

MAX.- Pfut... Je t'oublierai, sûr, il n'y a pas de souci ! Rentre bien, Rémilette ! Tu verras, bavasseur, que je t'aurai oublié ! Je suis au sommet d'une montagne. Je vois une plaine immense, un village, des arbres, un fleuve au loin. C'est très beau. J'aimerais descendre, et je sais qu'il le faudra, mais je préfère m'asseoir encore un petit instant pour contempler la vallée, le vent dans mes cheveux...

Roland Shön

LES TRÉSORS
DE DIBOUJI

Pour Milane

Les Trésors de Dibouji *a été créée en 1994 à Dieppe par le Théâtrenciel, mise en scène de Roland Shön, interprétation Frédéric Maurin.*

J'ai fait la connaissance de Dibouji, il y a longtemps, dans le pays D'jbo...

Je me souviens, c'était le soir. Tous les enfants du
riche caravanier qui m'avait accueilli, les enfants
que lui avaient donnés ses vingt-quatre femmes,
s'étaient rassemblés dans une grange vide, au
sol de terre battue. Ils avaient allumé dix bougies.
Exactement dix bougies et n'avaient pas voulu
m'expliquer pourquoi. Assieds-toi avec nous et
écoute ! Et surtout, ne dis pas un mot ! pas un
seul ! m'avaient-ils chuchoté. Ici, c'est notre
théâtre...

Nous avons attendu, puis une voix a tonné, à
l'entrée de la grange, et il était arrivé, Dibouji, por-
tant ses boîtes à trésors.

« Mais laisse-moi entrer, voyons !... Un ticket ? »
Mais non, je n'ai pas de ticket, je n'ai jamais eu de
ticket, je suis Dibouji... Dibouji, oui, avec un j,
comme gitan ou girouette, c'est mon nom !...
Pourquoi Dibouji ? Parce que mon vrai nom était
trop gris, tout le monde l'oubliait. Dibouji ça sonne
plus riche et puis aussi parce que d'allumer dix
bougies suffit pour m'appeler. Pas besoin de
crier : « Monsieur Dibouji ! » ou d'écrire : « Cher

monsieur Dibouji » ou de téléphoner : « Allô ?
Monsieur Dibouji ? » Pas besoin. Simplement dix
bougies allumées dans le noir et me voici. Oh ! pas
toujours tout de suite. Il faut parfois attendre longtemps avant que je ne vienne. Les grands, par
exemple, ils doivent attendre, longtemps, longtemps, ils sont si impatients. Mais toujours je
viens, même si les bougies sont depuis longtemps
fondues, toujours. Grands ou petits. Dix bougies
et je viens, Dibouji ! à votre service !

Vous, mes chers amis, vous avez de la chance.
Oh ! oui, vous avez de la chance ! Vous n'avez pas
dû attendre. Je suis venu tout de suite : voyez, les
bougies n'ont pas eu le temps de pleurer.

Ainsi donc, mes chers amis, vous m'avez appelé.
Pour que je vous montre mes trésors, je pré-
sume, bien sûr. On ne m'appelle que pour ça !
Les trésors de Dibouji, plus-riche-que-le-plus-
doré-des-gros-richards ! C'est d'ailleurs pour ça
qu'on m'appelle. Dès qu'on se sent pauvre dans
sa tête, si maigre dans le froid des choses, on
m'appelle, moi, le-plus-riche-que-le-plus-gros-
des-dorés. Tu ne me crois pas, hein ?

Il ne me croit jamais ! Mais enfin ! Regardez vos
chaussures, votre manteau ! Riche !

C'est vrai, mes souliers ont des trous, ont tellement marché, tellement ! Et mon chapeau est
râpé de soleil et de pluie. Et pas de voiture et pas
d'avion ! Et pourtant je suis riche ! Des milliers de

trésors ! Des trésors que même toi, le-plus-richard-des-gros-d'or, tu n'auras jamais.

Chut ! Je vais vous dire un secret ! Il ne faudra le répéter à personne. Ces trésors, ils ne sont ni en or, ni en argent, ni en diamant, ni en cristal. Oh ! non ! Bien plus précieux que toutes ces cochon-cetés.

— Cochoncetés, cochoncetés, c'est vous qui le dites ! En quoi ils sont alors vos trésors, j'aimerais bien le savoir ?

— Tu ne sauras rien. Dehors ! Tu n'as pas besoin de moi ! Eux m'ont appelé, pas toi ! Allez dehors ! dehors !

Bien, où j'en étais ? Ah oui, mes trésors... Je n'en ai apporté que cinq, j'en ai tellement, ils ne pour-raient pas tenir dans cette pièce. J'ai construit une grande cabane au sommet d'une colline pour les abriter. Bien rangés dans des armoires, des troupeaux d'armoires dont moi, Dibouji, suis le berger, à votre service !

Sachez, mes chers amis, que tous ces trésors m'ont été offerts au cours de mes longs voyages... ah ! ces voyages, ces pays, ces pays... tous ces pays où j'ai usé mes chaus-sures... des pays qui ne sont pas sur les cartes de vos écoles... Oh ! non ! bien trop loin, ou alors il faudrait une carte bien plus grande que tous les murs d'école réunis. Si loin, et pourtant vous verrez, mes chers amis, combien ces pays sont semblables aux nôtres. Du pareil au même et parfois même au pire !

Bien ! Je crois que tout est en place. Voyons un peu quels sont les trésors que je vous ai apportés ce soir… Eh oui, que voulez-vous, je suis obligé de les numéroter, ils sont si nombreux !

Numéro six quatre deux, trésor de Aliane, enfant du Pays cruel. Numéro deux sans cinq et sans un, trésor de Tangoron, enfant de la Cédille du Sud. Numéro trente-six au carré, trésor de Ousberg, enfant du pays Tartan. Numéro quinze plus trois moins dix plus trois moins dix, ce qui ne fait pas lourd, car voyez-vous, mes chers amis, c'est mon premier trésor, celui de Josalpa, enfant du pays Trélabor… Numéro… broc ! il n'y a pas de numéro, je n'y arrive plus, trop de travail, ils sont si nombreux ! Eh bien, tant pis ! On fera sans numéro, ça sera une surprise, pour moi comme pour vous !

Un jour, une petite fille s'est arrêtée devant moi et m'a dit : « Monsieur Dibouji, tenez, prenez mon trésor ! » Alors je lui ai dit : « Mais garde-le, c'est le tien, c'est toi qui l'as fait. » Alors elle m'a dit : « Non, monsieur Dibouji, c'est vous qui devez le garder. » Alors je lui ai dit : « Mais pourquoi devrais-je le garder ? » Alors elle m'a dit : « C'est simple, monsieur Dibouji, souvent quand on devient grand et sérieux, on trouve que ce n'est plus un vrai trésor, que ça ne vaut plus rien, ficelle et bout de rat ! Je ne veux pas ça, monsieur Dibouji. Je veux grandir, d'accord, mais je veux que mon trésor reste un beau trésor. Alors gardez-le, monsieur Dibouji, vous, vous savez ce que c'est un vrai trésor. » Voilà ce que m'a dit, sans me vanter, la petite Josalpa, du pays Trélabor. Et elle m'a confié mon premier trésor. Pauvre de moi, qu'avais-je fait là ! Bientôt la nouvelle se répandit dans toutes les rues de ces pays qui usaient mes chaussures. Monsieur Dibouji garde les trésors, faites passer, monsieur Dibouji garde les trésors ! J'avais accepté une première fois, je ne pouvais plus refuser ! Et voilà, maintenant j'ai des troupeaux d'armoires à vrais trésors. Et je les garde, moi, Dibouji, oh ! berger fidèle ! Peut-être qu'un jour tous ces enfants qui les ont faits, s'ils ont la chance de devenir grands mais pas trop sérieux, ils reviendront les chercher. Peut-être, peut-être... En attendant, dès que dix bougies s'allument, je viens montrer quelques-uns de ces trésors à tous ceux, grands et petits, que le monde mord au cœur.

Ce trésor vient du Pays cruel, où le soleil est dur comme couteau, où même les feuilles des arbres sont tranchantes, où les hommes n'ont pas encore inventé le cercle, la boucle, la vague, l'édredon. Ils ont de grands costumes rectilignes, en acier, pleins de pensées pointues qu'ils ne cessent de se lancer à la tête, un grand fracas qui fait fuir les oiseaux et leurs rêves délicats.

C'est la guerre, jour après nuit, la guerre, lune après lune, la guerre qui casse les assiettes, renverse la pendule, mange l'ampoule, brûle la maison, casse les assiettes, renverse la pendule, mange l'ampoule, brûle la maison, casse les assiettes, renverse la pendule, mange l'ampoule, brûle la maison. Plus de villages, plus de villes. Ne restent que de la poussière, du charbon, et des yeux rougis de larmes.

Les enfants, là-bas, dans leurs abris sous terre, rêvent de maisons. De vraies maisons, avec des pieds au chaud dans leurs caves fourrées et des têtes protégées par leurs grands toits de tuiles rouges.

Voici un rêve de maison, celui de Aliane, du Pays cruel. Elle l'a gardé dans son trésor.

Voyons... numéro deux sans cinq et sans un... je ne me souviens plus... Ah! voilà... trésor de Tangoron... Mais oui! Tangoron... quel phénomène! C'est le fils d'un grand monsieur de la Cédille du Sud, le pays le plus distingué de toute la planète. Ils parlent tous comme des livres là-bas, et avec quelle politesse! et des majuscules par-ci! et des parenthèses par-là! et des « je vous en prie, je n'en ferai rien! » et des « mais non, mais non, voyons, je n'en penserai pas moins, mais oui, mais oui ! » Quelles manières, mes chers amis, quel chic ! Pas un mot de déplacé sur les étagères du savoir-vivre, pas un grain de grossièreté sur le napperon des conversations.

Tangoron, lui, en avait marre d'être poli. Il avait envie de mettre tous ses doigts à la fois dans son nez, de se moucher dans le rideau de la salle à manger, de s'essuyer les pieds sur le chat de la voisine. Mais il n'osait pas, son père l'aurait sans doute puni en le transformant en gâteau sec ou en verre à dents.

Alors Tangoron, ce sacré phénomène, s'est fabriqué ce trésor magique... attention, ce n'est pas un caillou ordinaire... attention, ce n'est pas un chiffon ordinaire, car voyez-vous, mesdames et messieurs, ce caillou et ce chiffon sont absolument ex-tra-or-di-nai-res ! c'est le mot, ex-tra-or-di-nai-res, et tout cela pour la simple raison que ce caillou et ce chiffon, mesdames et messieurs, ne sont pas ordinaires du tout, pas du tout, pas du tout, puisqu'ils ne sont pas même caillou ni chiffon, du tout, du tout, mais tout simplement mademoiselle Norognat ! Mesdames et messieurs, je vous présente mademoiselle Norognat !

— Merci ! merci ! je tiens à vous exprimer toute ma reconnaissance pour cet accueil si chaleureux, vous qui n'êtes pourtant qu'un tas de chewing-gums baveux, de gras babas gélatineux, caramels à la noix...

— Désolé, mais elle ne dit que des gros mots.
Tout ce que Tangoron ne peut dire tout bas, elle
le crie très fort ! Pardon ? Si elle sait dire autre
chose ? Je ne sais pas ! Il faut lui demander !
Mademoiselle Norognat ! Est-ce que vous savez
dire autre chose que des gros mots ?

— Bien sûr, que je sais dire autre chose ! Je
connais même une poésie, parfaitement, une
poésie ! Je commence ! Silence, la volaille !
Pardon !

Le ciel est bleu.
Le citron est jaune.
La mer est bleue, marine.
Le poisson est citron.

La rose est rose.
La glace est pistache.
Le bonbon est rose, bonbon.
Le marron est glacé.

L'herbe est verte.
La vache est blanche.
La grenouille est verte, de peur.
La neige est vache.

La fraise est rouge.
Le parfum est violette.

L'oiseau est rouge, gorge.
Le chat est au parfum.

Le mur est gris de vert.
Le rideau est caca d'oie… pardon !

— Voyons, ah !… pas de numéro… voyons plutôt
ce trésor… le trente-six au carré, c'est bien ça, le
trésor de Ousborg, du pays Tarlan.
Je n'y suis resté que deux cent soixante-deux
jours et trois minutes. Je m'y ennuyais, plus
qu'une huître dans une baignoire. Il y neige tout le
temps, une neige grise, et quel gris, celui des
couloirs d'hôpital ! D'ailleurs les gens, là-bas, sont
tout le temps malades. Ils se traînent tous avec
de gros paquets de rhumes, de grandes valises
d'angines, des caisses de migraines. Ils se bougent lentement comme de grosses boules de
coton. Il leur faut trois heures pour monter une
marche, un mois pour se brosser les dents du
dessus. Insupportables ! Ils ne parlent jamais, ça
leur fatigue la langue, ou alors seulement pour
appeler un docteur. Le plus petit bruit les aplatit.
Une miette de musique les ratatine, les fait rouler
dans la cave. Chez eux, pas de fêtes, oh ! non !
pas de fanfares, oh ! non ! pas de chansons, oh !
sacré nom ! Je vous dis, l'ennui, l'ennui le plus gris
qu'on puisse imaginer. J'allais m'en aller, après
deux cent soixante-deux jours et deux minutes
d'ennui, j'avais déjà un pied dans le train qui allait

démarrer, quand je sens qu'on tire mon manteau par-derrière, je me retourne, je vois un tout petit garçon qui me tend cette boîte et qui me crie en courant sur le quai car le train commençait à rouler : « Je m'appelle Ousberg, c'est mon trésor, gardez-le bien, il y a un papier à l'intérieur qui explique comment il marche, et puis aussi... » Mais le train roulait déjà trop vite, je n'ai pu entendre la fin de sa phrase, il me faisait de grands signes d'adieu avec ses bras au bout du quai et bientôt il n'a plus été qu'un tout petit point noir au milieu de la grande couverture de neige grise.

Voici son trésor, Ousberg, l'enfant du pays Tartan. »

Dibouji s'est alors mis à lire un papier qu'il avait tiré de sa poche.

« Premièrement d'abord, il faut ouvrir le couvercle et déplier le papier plié et le lire du début à la fin sans oublier le milieu et faire en même temps tout ce qui est écrit. Bon, d'accord.

Deuxièmement ensuite, il faut tirer sur les bouts de ficelle qui sont sur les côtés de chaque côté des quatre côtés de la boîte.

Troisièmement après, il faut mettre les trucs dans les petits machins comme c'est montré sur le dessin ici en haut à droite.

Quatrièmement alors, il faut remonter la clé dans le sens des aiguilles mais je me souviens plus le sens exactement. Et tout de suite, il faut baisser le truc pour que ça marche, il est tout bleu, et tout de suite quand ça marche il faut commencer la chanson en chantant bien fort les paroles dans le bon ordre qui sont sur l'autre côté de la feuille et en même temps que la musique.

Fonds, la neige,
Fous le camp chez toi !
Fonds, la neige,
Tire-toi des toits !
Fonds, la neige,
Flaque-toi en eau !
Fonds, la neige,
Coule-toi ruisseau !
Fonds, la neige,
Fais-toi océan !
Fonds, la neige,
Fais-moi goéland !
Fond, fond, fond,
Ainsi fait la neige !
Fond, fond, fond,
Ainsi fait la neige !
Fait, fait, fait,
Ainsi fond la neige ! »

Dibouji ouvrit une autre boîte d'où il sortit un masque, effrayant, qu'il rangea aussitôt.

« Ah ! ah ! Vous avez eu peur ! Bien sûr ! Moi aussi j'ai eu peur la première fois, mais je n'aurais pas dû ! Ce n'est pas un masque méchant, il ne ferait pas de mal à une limace !

C'est la petite Aloucha qui me l'a donné. Elle l'a fabriqué avec des bouts de bois trouvés sur les plages. Elle vit dans une île, l'île Alvha dans la mer du Bec de Sel connue pour ses poissons volants. Je n'ai jamais vu un pays aussi beau. Quand je suis descendu du bateau, je me suis dit… »

Retentit alors une sorte de cri aigu et plaintif, émis par une minuscule boîte noire que Dibouji portait accrochée à sa ceinture, un de ces instruments bizarres que les habitants du pays D'jbo utilisent pour se parler à distance.

« Allô ? Allô ? Où ça ? … Les Grandes quoi ? Parlez plus fort !… Mais c'est très loin ça ! Je sais bien… vous avez allumé dix bougies… je comprends bien mais je ne peux pas venir tout de suite… c'est impossible, je suis occupé !

Bon, où j'en étais ! Ah oui ! Numéro quinze plus trois moins dix plus trois moins dix, ce qui fait un, bien sûr, le trésor numéro un, c'est logique puisque c'est mon premier trésor, celui de Josalpa, vous la connaissez déjà.

Dans son pays tout doit servir à quelque chose, tout doit être utile. Un pays terrible, sur la carte il est carré et peint en vert bouteille.

Vert bouteille comme leur drapeau sur lequel les habitants ont dessiné une boîte à outils.

Boîte à outils, ils sont toujours en train de fabriquer des choses utiles, c'est-à-dire des choses qui leur servent ensuite à faire d'autres choses. D'autres choses qui elles-mêmes leur serviront à faire d'autres choses de plus en plus utiles, et ça n'arrête jamais, les cheminées n'arrêtent pas de cracher de la fumée, les marteaux de taper du pied, les roues de tourner en rond, et les ronds de tourner en sous.

Alors son trésor, Josalpa a voulu qu'il ne serve à rien, qu'il ne ressemble à rien, qu'il ne dise rien, qu'il ne sache rien faire d'autre que de donner du plaisir aux yeux. Regardez bien. »

Et Dibouji fit s'élever du trésor de Josalpa une merveille que j'aurais peut-être pu vous décrire avec exactitude si j'avais eu le temps de la contempler car très vite, trop vite, la terrible boîte noire se remit à piailler, obligeant Dibouji à interrompre sa présentation.

« Allô ? Allô ? ... Allô ? Encore vous ! Oui, je sais, les dix bougies sont allumées... Ah ! Bon, écoutez, je vais faire le plus vite possible... c'est promis !

Je suis désolé, mes chers amis, mais il faut que je vous quitte. On a allumé dix bougies, et c'est loin, il faut que j'y aille tout de suite. Je vous laisse tous ces trésors, je reviendrai les chercher plus tard.

Mais avant de partir, je veux que vous me promettiez que vous n'y toucherez pas. Vous pouvez les regarder autant que vous voulez, mais vous ne les touchez pas, surtout pas. C'est promis ? Sinon qu'est-ce qu'ils vont dire Aliane, Ousberg, Josalpa, Tangoron s'ils reviennent me les réclamer et qu'ils constatent qu'ils sont esquintés ? Hein ? Qui va se faire enguirlander ? Hein ? Dibouji bien sûr, à votre service, comme d'habitude !

Alors à très bientôt, mes chers amis. N'hésitez pas à m'appeler. Dix bougies, simplement, dix bougies, et me voici, Dibouji, à votre service !

Mais ! c'est vrai... je ne vous ai pas expliqué d'où il vient ce trésor. Après tout, ils attendront bien un peu, les autres, aux Grandes je ne sais plus quoi...

C'est la petite Aloucha qui m'a confié ce masque. Elle l'a fabriqué avec des bouts de bois trouvés sur les plages. Elle vit dans une île, l'île Alvha dans la mer du Bec de Sel connue pour ses poissons volants. Je n'ai jamais vu un pays aussi beau. Quand je suis descendu du bateau, je me suis dit : « Mon vieux Dibouji, tu as trouvé ton pays. C'est là que tu vas enfin pouvoir poser tes chaussures. » Mais sur le quai il n'y avait personne qui m'attendait. Alors je vais à pied vers la ville blanche au pied des montagnes rouges. Mais dans la ville, je ne rencontre personne. Tous les volets sont fermés. J'ai beau crier : « Il y a quelqu'un ? » Seul le bruit des fontaines me répond. Alors je vais m'asseoir sur la plage, pour attendre le prochain bateau, et là je vois Aloucha, en train de ramasser des bouts de bois. Elle me dit que ce n'est pas la peine de crier, que les gens ne répondront pas. Ils ont trop peur. Ils ne sortent jamais, restent derrière leurs volets, dans le noir de leur peur. C'est comme ça, depuis des années. Ils ont peur, ils ne savent plus pourquoi. Peur de tout. Peur du soleil, peur du vent, peur de la mer, peur de la vie, peur de la mort. Mais elle, Aloucha, n'a plus peur. Elle fait des trésors, des masques pour faire peur à la peur. Bientôt, elle en aura construit pour tous les gens de la ville. Alors elle les leur donnera et ils sortiront tous de leurs maisons avec leurs masques sur la figure, et ce sera un énorme carnaval pendant des jours et des nuits, et la peur disparaîtra, les volets se rouvriront.

Avant de partir, j'ai bien envie de vous le montrer à nouveau, ce masque qui fait peur à la peur. Ça nous fera du bien. »

Et Dibouji, dansant et chantant, masqué de cornes et de couleurs, disparut dans la nuit du pays D'jbo.

Je l'ai revu, bien sûr. Les soirs où je me suis senti pauvre dans ma tête, si maigre dans le froid des choses, j'ai moi aussi allumé dix bougies et il est toujours venu, ce brave Dibouji, en me faisant attendre, parfois longtemps, mais nous sommes si impatients, nous autres, les grands...

Volter Notzing, explorateur. Juin 1995.

LES AUTEURS

JUAN COCHO

Juan Cocho est né en 1972 de parents ouvriers immigrés espagnols. Il s'intéresse au travail social et commence une formation d'éducateur spécialisé avec de jeunes autistes et handicapés moteurs.

Il entre ensuite à l'École supérieure d'art dramatique du Théâtre national de Strasbourg et devient comédien.

Parallèlement, il écrit. Il a publié *Chorizo*, un roman pour la jeunesse, paru en 2004 à L'École des loisirs. En tant qu'auteur associé, il a écrit *Par les cornes*, un spectacle créé à Nancy par Jean-Yves Ruf en 2005.

DANIEL KEENE

Né à Melbourne (Australie) en 1955, Daniel Keene écrit pour le théâtre, le cinéma et la radio depuis 1979, après avoir été brièvement comédien puis metteur en scène.

De 1997 à 2002, il a travaillé en étroite collaboration avec le Keene/Taylor Theatre Project, compagnie qu'il avait cofondée, et qui a créé bon nombre de ses pièces, courtes et longues.

Depuis quelques années, son œuvre, dont la traduction est publiée pour l'essentiel aux éditions Théâtrales, est régulièrement jouée en France (*Une heure avant la mort de mon frère, Silence complice, Terminus, Avis aux intéressés, Kaddish, La Pluie, Ciseaux, papier, caillou, Moitié-moitié...*) C'est d'ailleurs à des metteurs en scène français qu'il a destiné ses textes les plus récents (*Les Paroles, Cinq hommes, Paradise, Le Veilleur de nuit...*). Certains de ses textes sont également traduits et créés au Japon et en Allemagne.

Une chambre à eux et *La Visite* figurent dans le recueil *Théâtre en court 1 (12 petites pièces pour adolescents)* paru en 2004 dans la collection Théâtrales Jeunesse.

SYLVAIN LEVEY

Né en 1973 à Maisons-Laffitte, Sylvain Levey est comédien et auteur. En tant que metteur en scène, il travaille avec de jeunes comédiens (enfants ou adolescents) et a un temps dirigé le théâtre du Cercle à Rennes où il a créé le P'tit festival, du théâtre joué par des enfants, pour tous les publics.

Ses premiers textes pour la jeunesse ont été publiés en 2004 : *Ouasmok ?* dans la collection Théâtrales Jeunesse et *Par les temps qui courent* aux éditions Lansman. *Enfants de la middle class*, recueil de trois de ses textes (*Ô ciel la procréation est plus aisée que l'éducation*, *Juliette*, *Journal de la middle class occidentale*), est paru en 2005 aux éditions Théâtrales.

PHILIPPE LIPCHITZ ET DOMINIQUE CHANFRAU

Philippe Lipchitz a vu le jour en 1954 à Issy-les-Moulineaux. Dominique Chanfrau est née en 1955 à Versailles. Ils ont fondé ensemble le Sub'théâtre, une compagnie implantée en province.

La Fin du loup, créée en 1995, est la première pièce qu'ils ont consacrée au jeune public. Ensuite sont venues *Richard Toi*, *Du temps que les lapins volaient* et, tout dernièrement, *L'Été de Benjamin*, créée en novembre 2005 au Théâtre de Chartres.

LISE MARTIN

Lise Martin est née en Bourgogne en 1965. Après une maîtrise d'études théâtrales à l'Institut d'études théâtrales de Paris-III, elle suit un parcours de comédienne, d'assistante à la mise en scène (Jean-Louis Jacopin) et de réalisatrice.

Parallèlement, elle écrit pour le théâtre. Pour la jeunesse, elle a publié *Jouer des pieds à la tête* (éditions Nathan), *Azaline se tait* (éditions Lansman) et *Pacotille de la Resquille* (éditions de La Fontaine). Elle a également publié, aux éditions Crater : *Zones rouges*, *Abri-bus*, *Confessions gastronomiques*, *L'Inspecteur La Guerre*, *Confessions érotiques*.

DOMINIQUE PAQUET

Née en 1954 à Bordeaux, sur le quarante-cinquième parallèle, Dominique Paquet est actrice et dramaturge. Codirectrice du Groupe 3/5/81, elle est chargée de cours dans plusieurs universités et secrétaire générale des Écrivains associés du Théâtre.

Elle a publié de nombreuses pièces de théâtre pour la jeunesse, dont, dans la collection Théâtrales Jeunesse, *Les escargots vont au ciel*, en 2002, et *Son parfum d'avalanche*, en 2003.

DOMINIQUE RICHARD

Né en 1965 à Fontenay-aux-Roses, après une maîtrise de philosophie, il entre à l'École supérieure d'art dramatique du Théâtre national de Strasbourg. En tant que comédien, il travaille au théâtre, au cinéma et à la télévision.

Il écrit et met en scène sa première pièce en 1998. Aujourd'hui, il se consacre de plus en plus à l'écriture et mène de nombreux ateliers en milieu scolaire et à la maison d'arrêt de Villepinte. Il a publié, dans la collection Théâtrales Jeunesse, *Le Journal de Grosse Patate*, en 2002, et *Les Saisons de Rosemarie*, en 2004.

ROLAND SHÖN

Né en 1942 à Mont-de-Marsan, il exerce la psychiatrie jusqu'en 1999. Il participe à la fondation de l'atelier de l'Arcouest avant de créer sa compagnie à Dieppe en 1978, le Théâtrenciel, avec laquelle il a mené plus d'une trentaine de créations, dont, parmi les plus récentes, *Hazardous Area*, *Lecirqlc*, *À la recherche des loxias perdus* et *Le Montreur d'Adzirie*.

En 1992, dans *Grigris*, apparaît pour la première fois le personnage de Volter Notzing, explorateur, qui a inspiré à Roland Shön tout un ensemble de textes et d'objets, utilisés dans des spectacles, expositions ou publications.

Il a récemment publié : en 2001, *Les Ananimots* suivi de *Grigris*, dans la collection Théâtrales Jeunesse ; en 2002, *Démonstration*, aux éditions Clarisse, et *La Petite Encyclopédie Volter Notzing*, aux éditions de l'Œil ; en 2005, *Folioles*, aux éditions de l'Œil.

La collection

THEATRALES II JEUNESSE

a publié à ce jour

Hervé BLUTSCH
Méhari suivi de *Adrien/Gzion*
à partir de 12 ans/2 et 3 personnages

Michel Marc BOUCHARD
Histoire de l'oie
à partir de 8 ans/2 personnages

Bruno CASTAN
Belle des eaux
à partir de 8 ans/7 à 11 personnages

Coup de bleu
à partir de 8 ans/5 à 11 personnages

Neige écarlate
à partir de 10 ans/4 à 30 personnages

Françoise DU CHAXEL
L'Été des mangeurs d'étoiles
à partir de 14 ans/14 personnages

Suzanne LEBEAU
L'Ogrelet
à partir de 8 ans/2 personnages

Salvador (La montagne, l'enfant et la mangue)
à partir de 8 ans/12 personnages

Yves LEBEAU
   C'est toi qui dis, c'est toi qui l'es (tomes 1 et 2)
   à partir de 8 ans/5 personnages

Sylvain LEVEY
   Ouasmok ?
   à partir de 10 ans/2 personnages

Carlos LISCANO
   Ma famille
   à partir de 14 ans/4 personnages ou plus

Dominique PAQUET
   Les escargots vont au ciel
   à partir de 8 ans/4 personnages

   Son parfum d'avalanche
   à partir de 5 ans/6 personnages

Françoise PILLET
   Molène
   à partir de 8 ans/3 personnages

Françoise PILLET et Joël DA SILVA
   Émile et Angèle, correspondance
   à partir de 10 ans/2 personnages

Dominique RICHARD
   Le Journal de Grosse Patate
   à partir de 8 ans/2 personnages et plus

   Les Saisons de Rosemarie
   à partir de 10 ans/3 personnages

Karine SERRES
   Un tigre dans le crâne
   à partir de 9 ans/4 personnages

Roland SHÖN
Les Ananimots suivi de *Grigris*
à partir de 6 et 12 ans/1 et 2 personnages

Karl VALENTIN
Sketches
à partir de 9 ans/14 sketches de 1 et 2 personnages

Au théâtre
à partir de 11 ans/5 sketches de 2 à 5 personnages

Collectif
Théâtre en court 1
(12 petites pièces pour adolescents)
à partir de 14 ans/1 à 20 personnages